Jean-Joseph Julaud

G000269550

Petite anthologie de la
poésie française

FIRST
Editions

ISBN 2-75400-235-9
ISBN 13 978-2-7540-0235-9
Dépôt légal : 3e trimestre 2006
Imprimé en Italie
Conception couverture : Bleu T

Conception graphique : Georges Brevière

Nous nous efforçons de publier des ouvrages qui correspondent à vos attentes et votre satisfaction est pour nous une priorité.
Alors, n'hésitez pas à nous faire part de vos commentaires à :

Éditions Générales First
27, rue Cassette, 75006 Paris
Tél : 01 45 49 60 00
Fax : 01 45 49 60 01
e-mail : firstinfo@efirst.com

En avant-première, nos prochaines parutions, des résumés de tous les ouvrages du catalogue. Dialoguez en toute liberté avec nos auteurs et nos éditeurs. Tout cela et bien plus sur Internet à www.efirst.com

Introduction

Elle est passée par ici, elle repassera par là, elle court, elle court, tous les jours et toutes les nuits, la poésie ! Une source d'amour, et la voici qui jaillit, s'étourdit de mots et de cadences, se met en ballade, danse un rondeau, rien n'est trop beau pour inventer l'éternité.

Las ! l'éternité est souvent courte ; et la source tarit. La poésie ? Elle survit… Toute seule, lyrique et pathétique, elle se met en quête du bonheur perdu, dresse des cartes du cœur, y cherche les heures d'anciennes délices, les fait revivre, ô douleur, ô douceur ! Et ces deux-là, mêlées, demeurent. Cueilleuses d'éphémère, de désespoirs d'hier et de chagrins d'antan, elles vainquent le temps – et les voici, aujourd'hui, sorties de siècles ou d'années passés dans le cœur de leur créateur. N'oubliez pas, après usage, de les ranger dans votre sensibilité. Les poèmes qui les contiennent sont garantis à vie, mais ils ont besoin d'un entretien régulier, avec vous. Prenez-en soin, afin de les retenir, en vous. Il serait trop dommage qu'ils vous quittent, qu'ils nous quittent. Nous devenons désert, sans poésie.

Jean-Joseph Julaud

Comment est composé ce petit livre

Les poèmes choisis, du xvᵉ siècle jusqu'à nos jours, sont regroupés en dix thèmes : l'amour, la tendresse, le désir, la passion, l'émotion, l'humour, la mélancolie, la nostalgie, le souvenir, le destin. Ils sont suivis de sept fables de La Fontaine, parmi les plus connues.

À l'intérieur de chaque thème, la succession des poèmes, libérée de la chronologie, s'effectue selon des choix qui ressortissent à leur densité, leur intensité ou leur tonalité.

Dans la deuxième partie de ce petit livre, une notice est consacrée à chacun des poètes présentés dans l'ordre chronologique, du xvᵉ siècle au xxᵉ siècle.

Bonne lecture !

Sommaire

5 - De l'émotion

6 - De l'humour

7 - De la mélancolie

8 - De la nostalgie

9 - Du souvenir

10 - Du destin

11 - Sept fables de Jean de La Fontaine

DE L'AMOUR

Mon Rêve familier

Je fais souvent ce rêve étrange et pénétrant
D'une femme inconnue, et que j'aime, et qui m'aime,
Et qui n'est, chaque fois, ni tout à fait la même
Ni tout à fait une autre, et m'aime et me comprend.

Car elle me comprend, et mon coeur transparent
Pour elle seule, hélas ! cesse d'être un problème
Pour elle seule, et les moiteurs de mon front blême,
Elle seule les sait rafraîchir, en pleurant.

Est-elle brune, blonde ou rousse ? – Je l'ignore.
Son nom ? Je me souviens qu'il est doux et sonore
Comme ceux des aimés que la Vie exila.

Son regard est pareil au regard des statues,
Et pour sa voix, lointaine, et calme, et grave, elle a
L'inflexion des voix chères qui se sont tues.

Paul Verlaine, *Poèmes saturniens*, 1866

Apparition

La lune s'attristait. Des séraphins en pleurs
Rêvant, l'archet aux doigts, dans le calme des fleurs
Vaporeuses, tiraient de mourantes violes
De blancs sanglots glissant sur l'azur des corolles.
– C'était le jour béni de ton premier baiser.
Ma songerie aimant à me martyriser
S'enivrait savamment du parfum de tristesse
Que même sans regret et sans déboire laisse
La cueillaison d'un Rêve au cœur qui l'a cueilli.
J'errais donc, l'oeil rivé sur le pavé vieilli
Quand avec du soleil aux cheveux, dans la rue
Et dans le soir, tu m'es en riant apparue
Et j'ai cru voir la fée au chapeau de clarté
Qui jadis sur mes beaux sommeils d'enfant gâté
Passait, laissant toujours de ses mains mal fermées
Neiger de blancs bouquets d'étoiles parfumées.

Stéphane Mallarmé, *Poésies,* 1887

Marie

Vous y dansiez petite fille
Y danserez-vous mère-grand
C'est la maclotte qui sautille
Toute les cloches sonneront
Quand donc reviendrez-vous Marie

Les masques sont silencieux
Et la musique est si lointaine
Qu'elle semble venir des cieux
Oui je veux vous aimer mais vous aimer à peine
Et mon mal est délicieux

Les brebis s'en vont dans la neige
Flocons de laine et ceux d'argent
Des soldats passent et que n'ai-je
Un cœur à moi ce cœur changeant
Changeant et puis encor que sais-je

Sais-je où s'en iront tes cheveux
Crépus comme mer qui moutonne
Sais-je où s'en iront tes cheveux
Et tes mains feuilles de l'automne
Que jonchent aussi nos aveux

Je passais au bord de la Seine
Un livre ancien sous le bras
Le fleuve est pareil à ma peine
Il s'écoule et ne tarit pas
Quand donc finira la semaine

Guillaume Apollinaire, *Alcools*, 1913 © Éditions Gallimard

Hélène

Je t'atteindrai Hélène
À travers les prairies
À travers les matins de gel et de lumière
Sous la peau des vergers
Dans la cage de pierre
Où ton épaule fait son nid

Tu es de tous les jours
L'inquiète la dormante
Sur mes yeux
Tes deux mains sont des barques errantes
À ce front transparent
On reconnaît l'été
Et lorsqu'il me suffit de savoir ton passé

Les herbes les gibiers les fleuves me répondent

Sans t'avoir jamais vue
Je t'appelais déjà
Chaque feuille en tombant
Me rappelait ton pas
La vague qui s'ouvrait
Recréait ton visage
Et tu étais l'auberge
Aux portes des villages

René Guy Cadou, *La vie rêvée,* 1944 © Seghers

Chanson de Fortunio

Si vous croyez que je vais dire
  Qui j'ose aimer,
Je ne saurais, pour un empire,
  Vous la nommer.

Nous allons chanter à la ronde,
  Si vous voulez,
Que je l'adore et qu'elle est blonde
  Comme les blés.

Je fais ce que sa fantaisie
　Veut m'ordonner,
Et je puis, s'il lui faut ma vie,
　La lui donner.

Du mal qu'une amour ignorée
　Nous fait souffrir,
J'en porte l'âme déchirée
　Jusqu'à mourir.

Mais j'aime trop pour que je die
　Qui j'ose aimer,
Et je veux mourir pour ma mie
　Sans la nommer.

Alfred de Musset, *Poésies nouvelles*, 1836

Et la mer et l'amour ont l'amer pour partage

Et la mer et l'amour ont l'amer pour partage,
Et la mer est amère, et l'amour est amer,
L'on s'abîme en l'amour aussi bien qu'en la mer,
Car la mer et l'amour ne sont point sans orage.

Celui qui craint les eaux qu'il demeure au rivage,
Celui qui craint les maux qu'on souffre pour aimer,
Qu'il ne se laisse pas à l'amour enflammer,
Et tous deux ils seront sans hasard de naufrage.

La mère de l'amour eut la mer pour berceau,
Le feu sort de l'amour, sa mère sort de l'eau,
Mais l'eau contre ce feu ne peut fournir des armes.

Si l'eau pouvait éteindre un brasier amoureux,
Ton amour qui me brûle est si fort douloureux,
Que j'eusse éteint son feu de la mer de mes larmes.

Pierre de Marbeuf, *Poésies,* 1620

La courbe de tes yeux

La courbe de tes yeux fait le tour de mon cœur,
Un rond de danse et de douceur,
Auréole du temps, berceau nocturne et sûr,
Et si je ne sais plus tout ce que j'ai vécu
C'est que tes yeux ne m'ont pas toujours vu.

Feuilles de jour et mousse de rosée,

Roseaux du vent, sourires parfumés,
Ailes couvrant le monde de lumière,
Bateaux chargés du ciel et de la mer,
Chasseurs des bruits et sources des couleurs,

Parfums éclos d'une couvée d'aurores
Qui gît toujours sur la paille des astres,
Comme le jour dépend de l'innocence
Le monde entier dépend de tes yeux purs
Et tout mon sang coule dans leurs regards.

Paul Éluard, *Capitale de la douleur*, 1926 © Éditions Gallimard

Sonnet à Marie

Je vous envoie un bouquet que ma main
Vient de trier de ces fleurs épanies* ;
Qui ne les eût à ce vêpre cueillies,
Chutes à terre elles fussent demain.

Cela vous soit un exemple certain
Que vos beautés, bien qu'elles soient fleuries,
En peu de temps cherront toutes flétries,
Et, comme fleurs, périront tout soudain.

Le temps s'en va, le temps s'en va ma Dame ;
Las ! le temps, non, mais nous nous en allons,
Et tôt serons étendus sous la lame ;

Et des amours desquelles nous parlons,
Quand serons morts, n'en sera plus nouvelle.
Pour ce aimez-moi cependant qu'êtes belle.

Pierre de Ronsard, *Continuation des Amours*, 1555

* épanouies

Je t'adore...

Je t'adore à l'égal de la voûte nocturne,
Ô vase de tristesse, ô grande taciturne,
Et t'aime d'autant plus, belle, que tu me fuis,
Et que tu me parais, ornement de mes nuits,
Plus ironiquement accumuler les lieues
Qui séparent mes bras des immensités bleues.
Je m'avance à l'attaque, et je grimpe aux assauts,
Comme après un cadavre un chœur de vermisseaux,
Et je chéris, ô bête implacable et cruelle !
Jusqu'à cette froideur par où tu m'es plus belle !

Charles Baudelaire, *Les Fleurs du mal*, 1857

Se voir le plus possible...

Se voir le plus possible et s'aimer seulement,
Sans ruse et sans détours, sans honte ni mensonge,
Sans qu'un désir nous trompe, ou qu'un remords
                                    [nous ronge,
Vivre à deux et donner son coeur à tout moment ;

Respecter sa pensée aussi loin qu'on y plonge,
Faire de son amour un jour au lieu d'un songe,
Et dans cette clarté respirer librement –
Ainsi respirait Laure et chantait son amant.

Vous dont chaque pas touche à la grâce suprême,
C'est vous, la tête en fleurs, qu'on croirait sans souci,
C'est vous qui me disiez qu'il faut aimer ainsi.

Et c'est moi, vieil enfant du doute et du blasphème,
Qui vous écoute, et pense, et vous réponds ceci :
Oui, l'on vit autrement, mais c'est ainsi qu'on aime.

Alfred de Musset, *Poésies nouvelles*, 1836

DE LA TENDRESSE

La Lune blanche

La lune blanche
Luit dans les bois ;
De chaque branche
Part une voix
Sous la ramée…
    Ô bien-aimée.

L'étang reflète,
Profond miroir,
La silhouette
Du saule noir
Où le vent pleure…
    Rêvons, c'est l'heure.

Un vaste et tendre
Apaisement
Semble descendre
Du firmament
Que l'astre irise…
    C'est l'heure exquise.

Paul Verlaine, *La Bonne Chanson,* 1870

Sonnet

Ô si chère de loin et proche et blanche, si
Délicieusement toi, Méry, que je songe
À quelque baume rare émané par mensonge
Sur aucun bouquetier de cristal obscurci.

Le sais-tu, oui ! pour moi voici des ans, voici
Toujours que ton sourire éblouissant prolonge
La même rose avec son bel été qui plonge
Dans autrefois et puis dans le futur aussi.

Mon cœur qui dans les nuits parfois cherche à s'entendre
Ou de quel dernier mot t'appeler le plus tendre
S'exalte en celui rien que chuchoté de Sœur

N'était, très grand trésor et tête si petite,
Que tu m'enseignes bien toute une autre douceur
Tout bas par le baiser seul dans tes cheveux dite.

Stéphane Mallarmé, *Poésies,* 1887

Green

Voici des fruits, des fleurs, des feuilles et des branches
Et puis voici mon cœur qui ne bat que pour vous.
Ne le déchirez pas avec vos deux mains blanches
Et qu'à vos yeux si beaux l'humble présent soit doux.

J'arrive tout couvert encore de rosée
Que le vent du matin vient glacer à mon front.
Souffrez que ma fatigue à vos pieds reposée
Rêve des chers instants qui la délasseront.

Sur votre jeune sein laissez rouler ma tête
Toute sonore encor de vos derniers baisers ;
Laissez-la s'apaiser de la bonne tempête,
Et que je dorme un peu puisque vous reposez.

Paul Verlaine, *Romances sans paroles,* 1874

Cors de chasse

Notre histoire est noble et tragique
Comme le masque d'un tyran
Nul drame hasardeux ou magique

Aucun détail indifférent
Ne rend notre amour pathétique

Et Thomas de Quincey buvant
L'opium poison doux et chaste
À sa pauvre Anne allait rêvant
Passons passons puisque tout passe
Je me retournerai souvent

Les souvenirs sont cors de chasse
Dont meurt le bruit parmi le vent

Guillaume Apollinaire, *Alcools,* 1913 © Éditions Gallimard

De sa grande amie

Dedans Paris, Ville jolie,
Un jour passant mélancolie
Je pris alliance nouvelle
À la plus gaie damoiselle
Qui soit d'ici en Italie.

D'honnêteté elle est saisie,
Et crois selon ma fantaisie

Qu'il n'en est guère de plus belle
Dedans Paris.

Je ne la vous nommerai mie
Sinon que c'est ma grand amie,
Car l'alliance se fit telle,
Par un doux baiser que j'eus d'elle,
Sans penser aucune infamie,
Dedans Paris.

Clément Marot, *L'Adolescence clémentine*, 1532

Les Paroles de l'amour

Toute ma vie et c'est bien peu si l'on regarde
Avec des yeux d'avant la Terre la lucarne
Où s'égosille un ciel de crin qui n'en peut plus
D'être beau de travers et de porter ombrage
Au plus dévoué au plus sincère des visages
Toute ma vie pour te comprendre et pour t'aimer
Comme on se couche à la renverse dans les blés
En essayant de retrouver dans le silence
L'alphabet maladroit d'un vieux livre d'enfance
Je m'entoure de toi comme un enfant frileux

Je pars je suis en route depuis des siècles je
T'arrive un matin beau comme un matin de chasse
Tu ne sais pas que je suis là et je me place
Tout contre toi comme une porte mal fermée
Qui boit son lait et qui respire doucement
Je te regarde et tu souris sans mouvement
D'un sourire venu de plus loin que toi-même
Qui fait que tu es belle et qui fait que je t'aime.

René Guy Cadou, *L'aventure n'attend pas le destin,* 1948 © Seghers

La Rapidité des nuages

Le lit, la vitre auprès, la vallée, le ciel,
La magnifique rapidité de ces nuages,
La griffe de la pluie sur la vitre, soudain,
Comme si le néant paraphait le monde.

Dans mon rêve d'hier,
Le grain d'autres années brûlait par flammes courtes
Sur le sol carrelé mais sans chaleur.
Nos pieds nus l'écartaient comme une eau limpide.

Ô mon amie,

Comme était faible la distance entre nos corps !
La lame de l'épée du temps qui rôde
Y eût cherché en vain le lieu pour vaincre.

Yves Bonnefoy, *Ce qui fut sans lumière,* 1987 © Mercure de France

L'espoir luit...

L'espoir luit comme un brin de paille dans l'étable.
Que crains-tu de la guêpe ivre de son vol fou ?
Vois, le soleil toujours poudroie à quelque trou.
Que ne t'endormais-tu, le coude sur la table ?

Pauvre âme pâle, au moins cette eau du puits glacé,
Bois-la. Puis dors après. Allons, tu vois, je reste,
Et je dorloterai les rêves de ta sieste,
Et tu chantonneras comme un enfant bercé.

Midi sonne. De grâce, éloignez-vous, madame.
Il dort. C'est étonnant comme les pas de femme
Résonnent au cerveau des pauvres malheureux.

Midi sonne. J'ai fait arroser dans la chambre.
Va, dors ! L'espoir luit comme un caillou dans un creux.

Ah ! quand refleuriront les roses de septembre !

Paul Verlaine, *Sagesse,* 1881

La Veillée

J'avais signalé ma tendresse ;
L'Amour applaudissait ; j'étais égal aux dieux.
Accablé de langueurs, de fatigue et d'ivresse :
    Entre les bras de ma maîtresse
Le doux sommeil avait fermé mes yeux.

    Elle qui n'est plus écolière
Dans l'art qu'elle a, sous moi, naguère commencé,
De sa bouche amoureuse entrouvrit ma paupière,
Et d'un son de voix doux à l'oreille adressé :
    « Tu dors, paresseux, me dit-elle ?
    Regarde, il n'est pas encor jour.
    Tu dors à l'heure la plus belle
Que le cercle des nuits ramène pour l'amour.
    Laissons, laissons la diligente aurore
S'arracher, sans pitié, du lit de son amant ;
Jouissons, nous mortels, profitons du moment :
Qui sait, hélas ! demain si nous serons encore !
Viens, je brûle, écartons ces voiles indiscrets !

Prends-moi : contre ton sein que je meure enchaînée
Recommençons nos jeux ; invoquons Dionée :
    Veillons, tu dormiras après,
    Si tu veux, toute la journée. »

Antoine de Bertin, *Les Amours,* livre III, élégie IV, 1773

Ni vous sans moi

D'eux deux il en fut ainsi
Comme il en est du chèvrefeuille
Qui au coudrier se prend :
Quand il s'est enlacé et pris
Et tout autour du fût s'est mis,
Ensemble ils peuvent bien durer ;
Qui les veut ensuite désunir
Fait tôt le coudrier mourir
Et le chèvrefeuille avec lui.
– Belle amie, ainsi est de nous :
Ni vous sans moi, ni moi sans vous.

Marie de France, *Œuvres,* XIIe siècle

DU DÉSIR

Fantaisie

Il est un air pour qui je donnerais
Tout Rossini, tout Mozart et tout Weber ;
Un air très vieux, languissant et funèbre,
Qui pour moi seul a des charmes secrets.

Or, chaque fois que je viens à l'entendre,
De deux cents ans mon âme rajeunit :
C'est sous Louis treize… Et je crois voir s'étendre
Un coteau vert que le couchant jaunit,

Puis un château de brique à coins de pierre,
Aux vitraux teints de rougeâtres couleurs,
Ceint de grands parcs, avec une rivière
Baignant ses pieds, qui coule entre les fleurs.

Puis une dame, à sa haute fenêtre,
Blonde aux yeux noirs, en ses habits anciens…
Que, dans une autre existence peut-être,
J'ai déjà vue ! – et dont je me souviens !

Gérard de Nerval, *Odelettes,* 1853

La Belle endormie

Vous faites trop de bruit, Zéphire, taisez-vous,
Pour ne pas éveiller la belle qui repose ;
Ruisseau qui murmurez, évitez les cailloux,
Et si le vent se tait, faites la même chose.

Mon cœur, sans respirer, regardons à genoux
Sa bouche de coral, qui n'est qu'à demi close,
Dont l'haleine innocente est un parfum plus doux
Que l'esprit de Jasmin, de Musc, d'Ambre et de Rose.

Ah que ces yeux fermés ont encor d'agrément !
Que ce sein demi-nu s'élève doucement !
Que ce bras négligé nous découvre de charmes !

Ô Dieux elle s'éveille, et l'Amour irrité
Qui dormait auprès d'elle, a déjà pris ses armes,
Pour punir mon audace et ma témérité.

Georges de Scudéry, *Poésies diverses*, 1661

Baise m'encor...

Baise m'encor, rebaise moy et baise :
Donne m'en un de tes plus savoureus,
Donne m'en un de tes plus amoureus :
Je t'en rendrai quatre plus chaus que braise.

Las, te pleins tu ? ça que ce mal j'apaise,
En t'en donnant dix autres doucereus.
Ainsi meslans nos baisers tant heureus
Jouissons nous l'un de l'autre à notre aise.

Lors double vie à chacun en suivra.
Chacun en soy et son ami vivra.
Permets m'Amour penser quelque folie :

Tousjours suis mal, vivant discrettement,
Et ne me puis donner contentement,
Si hors de moy ne fay quelque saillie.

Louise Labé, *Œuvres,* 1555

Les Pas

Tes pas, enfants de mon silence,
Saintement, lentement placés,
Vers le lit de ma vigilance
Procèdent muets et glacés.

Personne pure, ombre divine,
Qu'ils sont doux, tes pas retenus !
Dieux !... tous les dons que je devine
Viennent à moi sur ces pieds nus !

Si, de tes lèvres avancées,
Tu prépares pour l'apaiser,
À l'habitant de mes pensées
La nourriture d'un baiser,

Ne hâte pas cet acte tendre,
Douceur d'être et de n'être pas,
Car j'ai vécu de vous attendre,
Et mon cœur n'était que vos pas.

Paul Valéry, *Charmes,* 1922 © Éditions Gallimard

L'Invitation au voyage

    Mon enfant, ma sœur,
    Songe à la douceur
D'aller là-bas vivre ensemble !
    Aimer à loisir,
    Aimer et mourir
Au pays qui te ressemble !
    Les soleils mouillés
    De ces ciels brouillés
Pour mon esprit ont les charmes
    Si mystérieux
    De tes traîtres yeux,
Brillant à travers leurs larmes.

Là, tout n'est qu'ordre et beauté,
Luxe, calme et volupté.

    Des meubles luisants,
    Polis par les ans,
Décoreraient notre chambre ;
    Les plus rares fleurs
    Mêlant leurs odeurs
Aux vagues senteurs de l'ambre,
    Les riches plafonds,

Les miroirs profonds,
La splendeur orientale,
Tout y parlerait
À l'âme en secret
Sa douce langue natale.

Là, tout n'est qu'ordre et beauté,
Luxe, calme et volupté.

Vois sur ces canaux
Dormir ces vaisseaux
Dont l'humeur est vagabonde ;
C'est pour assouvir
Ton moindre désir
Qu'ils viennent du bout du monde.
– Les soleils couchants
Revêtent les champs,
Les canaux, la ville entière,
D'hyacinthe et d'or ;
Le monde s'endort
Dans une chaude lumière.

Là, tout n'est qu'ordre et beauté,
Luxe, calme et volupté.

Charles Baudelaire, Les Fleurs du Mal, 1857

Sensation

Par les soirs bleus d'été, j'irai dans les sentiers,
Picoté par les blés, fouler l'herbe menue :
Rêveur, j'en sentirai la fraîcheur à mes pieds.
Je laisserai le vent baigner ma tête nue.

Je ne parlerai pas, je ne penserai rien :
Mais l'amour infini me montera dans l'âme,
Et j'irai loin, bien loin, comme un bohémien,
Par la Nature – heureux comme avec une femme.

Arthur Rimbaud, *Poésies,* 1868-1870

Je t'attendais

Je t'attendais ainsi qu'on attend les navires
Dans les années de sécheresse quand le blé
Ne monte pas plus haut qu'une oreille dans l'herbe
Qui écoute apeurée la grande voix du temps

Je t'attendais et tous les quais toutes les routes
Ont retenti du pas brûlant qui s'en allait
Vers toi que je portais déjà sur mes épaules

Comme une douce pluie qui ne sèche jamais

Tu ne remuais encor que par quelques paupières
Quelques pattes d'oiseaux dans les vitres gelées
Je ne voyais en toi que cette solitude
Qui posait ses deux mains de feuille sur mon cou

Et pourtant c'était toi dans le clair de ma vie
Ce grand tapage matinal qui m'éveillait
Tous mes oiseaux tous mes vaisseaux tous mes pays
Ces astres ces millions d'astres qui se levaient

Ah que tu parlais bien quand toutes les fenêtres
Pétillaient dans le soir ainsi qu'un vin nouveau
Quand les portes s'ouvraient sur des villes légères
Où nous allions tous deux enlacés par les rues

Tu venais de si loin derrière ton visage
Que je ne savais plus à chaque battement
Si mon cœur durerait jusqu'au temps de toi-même
Où tu serais en moi plus forte que mon sang.

René Guy Cadou, *Quatre poèmes d'amour à Hélène,* 1945 © Seghers

Femme noire

Femme nue, femme noire
Vêtue de ta couleur qui est vie, de ta forme qui est
beauté !
J'ai grandi à ton ombre ; la douceur de tes mains
bandait mes yeux.
Et voilà qu'au cœur de l'Été et de Midi, je te découvre,
Terre promise, du haut d'un haut col calciné
Et ta beauté me foudroie en plein cœur, comme
l'éclair d'un aigle.

Femme nue, femme obscure
Fruit mûr à la chair ferme, sombres extases du vin
noir, bouche qui fais lyrique ma bouche
Savane aux horizons purs, savane qui frémis aux
caresses ferventes du Vent d'Est
Tam-tam sculpté, tam-tam tendu qui gronde sous les
doigts du vainqueur
Ta voix grave de contralto est le chant spirituel de
l'Aimée.

Femme nue, femme obscure
Huile que ne ride nul souffle, huile calme aux flancs
de l'athlète, aux flancs des princes du Mali

Gazelle aux attaches célestes, les perles sont étoiles
sur la nuit de ta peau
Délices des jeux de l'esprit, les reflets de l'or rouge
sur ta peau qui se moire
À l'ombre de ta chevelure, s'éclaire mon angoisse
aux soleils prochains de tes yeux.
Femme nue, femme noire
Je chante ta beauté qui passe, forme que je fixe dans
l'Éternel
Avant que le Destin jaloux ne te réduise en cendres
pour nourrir les racines de la vie.

Léopold Sédar Senghor, *Œuvre poétique*,
© Éditions du Seuil, 1964, 1973, 1979, 1984 et 1990

Sieste éternelle

Le blanc soleil de juin amollit les trottoirs.
Sur mon lit, seul, prostré comme en ma sépulture
(Close de rideaux blancs, œuvre d'une main pure),
Je râle doucement aux extases des soirs.

Un relent énervant expire d'un mouchoir
Et promène sur mes lèvres sa chevelure

Et comme un piano voisin rêve en mesure,
Je tournoie au concert rythmé des encensoirs.

Tout est un songe. Oh ! viens, corps soyeux que j'adore,
Fondons-nous, et sans but, plus oublieux encore ;
Et tiédis longuement ainsi mes yeux fermés.

Depuis l'éternité, croyez-le bien, Madame,
L'Archet qui sur nos nerfs pince ses tristes gammes
Appelait pour ce jour nos atomes charmés.

Jules Laforgue, *Les Complaintes,* 1885

Excité d'un désir curieux...

NÉRON
...Excité d'un désir curieux,
Cette nuit je l'ai vue arriver en ces lieux,
Triste, levant au ciel ses yeux mouillés de larmes,
Qui brillaient au travers des flambeaux et des armes,
Belle, sans ornement, dans le simple appareil
D'une beauté qu'on vient d'arracher au sommeil.
Que veux-tu ? Je ne sais si cette négligence,
Les ombres, les flambeaux, les cris et le silence,

Et le farouche aspect de ses fiers ravisseurs,
Relevaient de ses yeux les timides douceurs.
Quoi qu'il en soit, ravi d'une si belle vue,
J'ai voulu lui parler, et ma voix s'est perdue :
Immobile, saisi d'un long étonnement,
Je l'ai laissée passer dans son appartement.
J'ai passé dans le mien. C'est là que solitaire,
De son image en vain j'ai voulu me distraire.
Trop présente à mes yeux, je croyais lui parler,
J'aimais jusqu'à ses pleurs que je faisais couler.
Quelquefois, mais trop tard, je lui demandais grâce ;
J'employais les soupirs, et même la menace.
Voilà comme, occupé de mon nouvel amour,
Mes yeux sans se fermer, ont attendu le jour.

Jean Racine, *Britannicus, acte II, scène II*, 1669

DE LA PASSION

Les yeux d'Elsa

Tes yeux sont si profonds qu'en me penchant pour boire
J'ai vu tous les soleils y venir se mirer
S'y jeter à mourir tous les désespérés
Tes yeux sont si profonds que j'y perds la mémoire

À l'ombre des oiseaux c'est l'océan troublé
Puis le beau temps soudain se lève et tes yeux changent
L'été taille la nue au tablier des anges
Le ciel n'est jamais bleu comme il l'est sur les blés

Les vents chassent en vain les chagrins de l'azur
Tes yeux plus clairs que lui lorsqu'une larme y luit
Tes yeux rendent jaloux le ciel d'après la pluie
Le verre n'est jamais si bleu qu'à sa brisure

Mère des Sept douleurs ô lumière mouillée
Sept glaives ont percé le prisme des couleurs
Le jour est plus poignant qui point entre les pleurs
L'iris troué de noir plus bleu d'être endeuillé

Tes yeux dans le malheur ouvrent la double brèche
Par où se reproduit le miracle des Rois

Lorsque le cœur battant ils virent tous les trois
Le manteau de Marie accroché dans la crèche

Une boucle suffit au mois de Mai des mots
Pour toutes les chansons et pour tous les hélas
Trop peu d'un firmament pour des millions d'astres
Il leur fallait tes yeux et leurs secrets gémeaux

L'enfant accaparé par les belles images
Écarquille les siens moins démesurément
Quand tu fais les grands yeux je ne sais si tu mens
On dirait que l'averse ouvre des fleurs sauvages

Cachent-ils des éclairs dans cette lavande où
Des insectes défont leurs amours violentes
Je suis pris au filet des étoiles filantes
Comme un marin qui meurt en mer en plein mois d'août

J'ai retiré ce radium de la pechblende
Et j'ai brûlé mes doigts à ce feu défendu
Ô paradis cent fois retrouvé reperdu
Tes yeux sont mon Pérou ma Golconde mes Indes

Il advint qu'un beau soir l'univers se brisa
Sur des récifs que les naufrageurs enflammèrent

Moi je voyais briller au-dessus de la mer
Les yeux d'Elsa les yeux d'Elsa les yeux d'Elsa

Louis Aragon, Les Yeux d'Elsa, 1942 © Éditions Seghers

Mon âme a son secret...

Mon âme a son secret, ma vie a son mystère ;
Un amour éternel en un moment conçu :
Le mal est sans espoir, aussi j'ai dû le taire,
Et celle qui l'a fait n'en a jamais rien su.

Hélas ! j'aurai passé près d'elle inaperçu,
Toujours à ses côtés, et pourtant solitaire,
Et j'aurai jusqu'au bout fait mon temps sur la terre,
N'osant rien demander et n'ayant rien reçu.

Pour elle, quoique Dieu l'ait faite douce et tendre,
Elle ira son chemin, distraite, et sans entendre
Ce murmure d'amour élevé sur ses pas.

À l'austère devoir, pieusement fidèle,
Elle dira, lisant ces vers tout remplis d'elle
« Quelle est donc cette femme ? » et ne comprendra pas.

Félix Arvers, Mes heures perdues, 1833

Je t'aime, je suis fou...

Je t'aime, je suis fou, je n'en peux plus, c'est trop ;
Ton nom est dans mon cœur comme dans un grelot,
Et comme tout le temps, Roxane, je frissonne,
Tout le temps, le grelot s'agite, et le nom sonne !
De toi, je me souviens de tout, j'ai tout aimé
Je sais que l'an dernier, un jour, le douze mai,
Pour sortir le matin tu changeas de coiffure !
J'ai tellement pris pour clarté ta chevelure
Que, comme lorsqu'on a trop fixé le soleil,
On voit sur toute chose ensuite un rond vermeil,
Sur tout, quand j'ai quitté les feux dont tu m'inondes,
Mon regard ébloui pose des taches blondes !

Edmond Rostand, *Cyrano de Bergerac*, scène VII, 1897

La Mort des amants

Nous aurons des lits pleins d'odeurs légères,
Des divans profonds comme des tombeaux,
Et d'étranges fleurs sur des étagères,
Écloses pour nous sous des cieux plus beaux.

Usant à l'envi leurs chaleurs dernières,
Nos deux cœurs seront deux vastes flambeaux,
Qui réfléchiront leurs doubles lumières
Dans nos deux esprits, ces miroirs jumeaux.

Un soir fait de rose et de bleu mystique,
Nous échangerons un éclair unique,
Comme un long sanglot, tout chargé d'adieux ;

Et plus tard un Ange, entrouvrant les portes,
Viendra ranimer, fidèle et joyeux,
Les miroirs ternis et les flammes mortes.

Charles Baudelaire, *Les Fleurs du Mal,* 1857

Antoine et Cléopâtre

Tous deux ils regardaient, de la haute terrasse,
L'Égypte s'endormir sous un ciel étouffant
Et le Fleuve, à travers le Delta noir qu'il fend,
Vers Bubaste ou Saïs rouler son onde grasse.

Et le Romain sentait sous la lourde cuirasse,
Soldat captif berçant le sommeil d'un enfant,

Ployer et défaillir sur son cœur triomphant
Le corps voluptueux que son étreinte embrasse.

Tournant sa tête pâle entre ses cheveux bruns
Vers celui qu'enivraient d'invincibles parfums,
Elle tendit sa bouche et ses prunelles claires ;

Et sur elle courbé, l'ardent Imperator
Vit dans ses larges yeux étoilés de points d'or
Toute une mer immense où fuyaient des galères.

José Maria de Heredia, *Les Trophées*, 1893

Je vis, je meurs...

Je vis, je meurs : je me brûle et me noie,
J'ai chaud extrême en endurant froidure :
La vie m'est et trop molle et trop dure.
J'ai grands ennuis entremêlés de joie.

Tout à un coup je ris et je larmoie,
Et en plaisir maint grief tourment j'endure,
Mon bien s'en va, et à jamais il dure,
Tout en un coup je sèche et je verdoie.

Ainsi Amour inconstamment me mène,
Et quand je pense avoir plus de douleur,
Sans y penser je me trouve hors de peine.

Puis, quand je crois ma joie être certaine,
Et être au haut de mon désiré heur,
Il me remet en mon premier malheur.

Louise Labé, *Œuvres,* 1555

Hermione

Je ne t'ai point aimé, cruel ? Qu'ai-je donc fait ?
J'ai dédaigné pour toi les vœux de tous nos princes,
Je t'ai cherché moi-même au fond de tes provinces ;
J'y suis encor, malgré tes infidélités,
Et malgré tous mes Grecs honteux de mes bontés.
Je leur ai commandé de cacher mon injure ;
J'attendais en secret le retour d'un parjure ;
J'ai cru que tôt ou tard, à ton devoir rendu,
Tu me rapporterais un cœur qui m'était dû.
Je t'aimais inconstant ; qu'aurais-je fait fidèle ?
Et même en ce moment où ta bouche cruelle
Vient si tranquillement m'annoncer le trépas,

Ingrat, je doute encor si je ne t'aime pas.
Mais, Seigneur, s'il le faut, si le Ciel en colère
Réserve à d'autres yeux la gloire de vous plaire,
Achevez votre hymen, j'y consens. Mais du moins
Ne forcez pas mes yeux d'en être les témoins.
Pour la dernière fois je vous parle peut-être :
Différez-le d'un jour ; demain vous serez maître.
Vous ne répondez point ? Perfide, je le vois,
Tu comptes les moments que tu perds avec moi !
Ton cœur, impatient de revoir ta Troyenne,
Ne souffre qu'à regret qu'un autre t'entretienne.
Tu lui parles du cœur, tu la cherches des yeux.
Je ne te retiens plus, sauve-toi de ces lieux :
Va lui jurer la foi que tu m'avais jurée,
Va profaner des Dieux la majesté sacrée.
Ces Dieux, ces justes Dieux n'auront pas oublié
Que les mêmes serments avec moi t'ont lié.
Porte aux pieds des autels ce cœur qui m'abandonne ;
Va, cours. Mais crains encor d'y trouver Hermione.

Jean Racine, *Andromaque*, acte IV, scène V, 1667

DE L'ÉMOTION

Demain, dès l'aube...

Demain, dès l'aube, à l'heure où blanchit la campagne,
Je partirai. Vois-tu, je sais que tu m'attends.
J'irai par la forêt, j'irai par la montagne.
Je ne puis demeurer loin de toi plus longtemps.

Je marcherai les yeux fixés sur mes pensées,
Sans rien voir au dehors, sans entendre aucun bruit,
Seul, inconnu, le dos courbé, les mains croisées,
Triste, et le jour pour moi sera comme la nuit.

Je ne regarderai ni l'or du soir qui tombe,
Ni les voiles au loin descendant vers Harfleur,
Et, quand j'arriverai, je mettrai sur ta tombe,
Un bouquet de houx vert et de bruyère en fleur.

Victor Hugo (écrit le 3 septembre 1847) *Les Contemplations,* 1856

Le Dormeur du val

C'est un trou de verdure où chante une rivière
Accrochant follement aux herbes des haillons
D'argent ; où le soleil, de la montagne fière,
Luit : c'est un petit val qui mousse de rayons.

Un soldat jeune, bouche ouverte, tête nue,
Et la nuque baignant dans le frais cresson bleu,
Dort ; il est étendu dans l'herbe, sous la nue,
Pâle dans son lit vert où la lumière pleut.

Les pieds dans les glaïeuls, il dort. Souriant comme
Sourirait un enfant malade, il fait un somme :
Nature, berce-le chaudement : il a froid.

Les parfums ne font pas frissonner sa narine ;
Il dort dans le soleil, la main sur sa poitrine
Tranquille. Il a deux trous rouges au côté droit.

Arthur Rimbaud, *Poésies,* 1868-1870

La Jeune Tarentine

Pleurez, doux alcyons, ô vous, oiseaux sacrés,
Oiseaux chers à Thétis, doux alcyons, pleurez.
Elle a vécu, Myrto, la jeune Tarentine.
Un vaisseau la portait aux bords de Camarine.
Là l'hymen, les chansons, les flûtes, lentement,
Devaient la reconduire au seuil de son amant.
Une clé vigilante a pour cette journée
Dans le cèdre enfermé sa robe d'hyménée
Et l'or dont au festin ses bras seraient parés
Et pour ses blonds cheveux les parfums préparés.
Mais, seule sur la proue, invoquant les étoiles,
Le vent impétueux qui soufflait dans les voiles
L'enveloppe. Étonnée, et loin des matelots,
Elle crie, elle tombe, elle est au sein des flots.
Elle est au sein des flots, la jeune Tarentine.
Son beau corps a roulé sous la vague marine.
Thétis, les yeux en pleurs, dans le creux d'un rocher
Aux monstres dévorants eut soin de le cacher.
Par ses ordres bientôt les belles Néréides
L'élèvent au-dessus des demeures humides,
Le portent au rivage, et dans ce monument
L'ont, au cap du Zéphir, déposé mollement.
Puis de loin à grands cris appelant leurs compagnes,

Et les Nymphes des bois, des sources, des montagnes,
Toutes frappant leur sein, et traînant un long deuil,
Répétèrent : « Hélas ! » autour de son cercueil.
Hélas ! chez ton amant tu n'es point ramenée.
Tu n'as point revêtu ta robe d'hyménée.
L'or autour de tes bras n'a point serré de nœuds.
Les doux parfums n'ont point coulé sur tes cheveux.

André Chénier, *Les Bucoliques*, 1785-1787

La Musique

La musique souvent me prend comme une mer !
    Vers ma pâle étoile,
Sous un plafond de brume ou dans un vaste éther,
    Je mets à la voile ;

La poitrine en avant et les poumons gonflés
    Comme de la toile,
J'escalade le dos des flots amoncelés
    Que la nuit me voile ;

Je sens vibrer en moi toutes les passions
    D'un vaisseau qui souffre ;

Le bon vent, la tempête et ses convulsions

    Sur l'immense gouffre
Me bercent. D'autres fois, calme plat, grand miroir
    De mon désespoir !

Charles Baudelaire, *Les Fleurs du Mal*, 1857

Les Oiseaux

Le soir, au coin du feu, j'ai pensé bien des fois
À la mort d'un oiseau, quelque part, dans les bois.
Pendant les tristes jours de l'hiver monotone,
Les pauvres nids déserts, les nids qu'on abandonne,
Se balancent au vent sur un ciel gris de fer.
Oh ! comme les oiseaux doivent mourir l'hiver !
Pourtant, lorsque viendra le temps des violettes,
Nous ne trouverons pas leurs délicats squelettes
Dans le gazon d'avril, où nous irons courir.
Est-ce que les oiseaux se cachent pour mourir ?

François Coppée, *Promenades et Intérieurs*, 1875

La Jeune Captive

« L'épi naissant mûrit de la faux respecté ;
Sans crainte du pressoir, le pampre tout l'été
    Boit les doux présents de l'aurore ;
Et moi, comme lui belle, et jeune comme lui,
Quoi que l'heure présente ait de trouble et d'ennui,
    Je ne veux point mourir encore.

Qu'un stoïque aux yeux secs vole embrasser la mort,
Moi je pleure et j'espère ; au noir souffle du nord
    Je plie et relève ma tête.
S'il est des jours amers, il en est de si doux !
Hélas ! quel miel jamais n'a laissé de dégoûts ?
    Quelle mer n'a point de tempête ?

L'illusion féconde habite dans mon sein.
D'une prison sur moi les murs pèsent en vain,
    J'ai les ailes de l'espérance.
Échappée aux réseaux de l'oiseleur cruel,
Plus vive, plus heureuse, aux campagnes du ciel
    Philomène chante et s'élance.

Est-ce à moi de mourir ? Tranquille je m'endors
Et tranquille je veille ; et ma veille aux remords

Ni mon sommeil ne sont en proie.
Ma bienvenue au jour me rit dans tous les yeux ;
Sur des fronts abattus, mon aspect dans ces lieux
    Ranime presque de la joie.

Mon beau voyage encore est si loin de sa fin !
Je pars, et des ormeaux qui bordent le chemin
    J'ai passé les premiers à peine,
Au banquet de la vie à peine commencé,
Un instant seulement mes lèvres ont pressé
    La coupe en mes mains encor pleine.

Je ne suis qu'au printemps, je veux voir la moisson,
Et comme le soleil, de saison en saison,
    Je veux achever mon année.
Brillante sur ma tige et l'honneur du jardin,
Je n'ai vu luire encor que les feux du matin ;
    Je veux achever ma journée.

Ô mort ! tu peux attendre ; éloigne, éloigne-toi ;
Va consoler les cœurs que la honte, l'effroi,
    Le pâle désespoir dévore.
Pour moi Palès encore a des asiles verts,
Les Amours des baisers, les Muses des concerts.
    Je ne veux point mourir encore. »

Ainsi, triste et captif, ma lyre toutefois
S'éveillait, écoutant ces plaintes, cette voix,
    Ces vœux d'une jeune captive ;
Et secouant le faix de mes jours languissants,
Aux douces lois des vers je pliai les accents
    De sa bouche aimable et naïve.

Ces chants, de ma prison témoins harmonieux,
Feront à quelque amant des loisirs studieux
    Chercher quelle fut cette belle.
La grâce décorait son front et ses discours,
Et comme elle craindront de voir finir leurs jours
    Ceux qui les passeront près d'elle.

André Chénier, Dernières poésies, écrites avant son exécution
le 25 juillet 1794.

Consolation à Monsieur Du Périer...

Ta douleur, Du Périer, sera donc éternelle,
    Et les tristes discours
Que te met en l'esprit l'amitié paternelle
    L'augmenteront toujours ?

Le malheur de ta fille au tombeau descendue
    Par un commun trépas,
Est-ce quelque dédale où ta raison perdue
    Ne se retrouve pas ?

Je sais de quels appas son enfance était pleine,
    Et n'ai pas entrepris,
Injurieux ami, de soulager ta peine
    Avecque son mépris.

Mais elle était du monde, où les plus belles choses
    Ont le pire destin,
Et rose elle a vécu ce que vivent les roses,
    L'espace d'un matin.
[...]

François de Malherbe, *Œuvres,* poème composé en 1598

Recueillement

Sois sage, ô ma Douleur, et tiens-toi plus tranquille.
Tu réclamais le Soir ; il descend ; le voici :
Une atmosphère obscure enveloppe la ville,
Aux uns portant la paix, aux autres le souci.

Pendant que des mortels la multitude vile,
Sous le fouet du Plaisir, ce bourreau sans merci,
Va cueillir des remords dans la fête servile,
Ma Douleur, donne-moi la main ; viens par ici,

Loin d'eux. Vois se pencher les défuntes Années,
Sur les balcons du ciel, en robes surannées ;
Surgir du fond des eaux le Regret souriant ;

Le Soleil moribond s'endormir sous une arche,
Et, comme un long linceul traînant à l'Orient,
Entends, ma chère, entends la douce Nuit qui marche.

Charles Baudelaire, *Les Fleurs du Mal*, 1857

Licorne

Licorne au corps si doux de femme
Fine tête de demoiselle
Le verbe amour blesse ton âme
Ton rire tremble jusqu'au ciel
Dans les seigles tu dis : je t'aime
J'aime le feu que tu réclames.

Tu pratiques jeux de jeunesse
Licorne folle de mes yeux
Dans les seigles que le jour blesse
Ta voix veinulée qui me veut
Femme qui naît de ma tendresse
Tes jambes nues, ta bouche bleue.

Folle, ma folle je veux croire
À la vérité de ta peau
Tes yeux, tes seins réclament gloire
Ta bouche déchire les mots
Tu marcheras dessus les eaux
Je chevaucherai ta victoire.

Bouche contre bouche au galop
Par les seigles et les forêts
Folle, tous les cris que je te tais
Mes lèvres mouillées de tes mots
Tes mots rouges comme des plaies
Ton rire en moi comme un sanglot.

Charles Le Quintrec, *La Marche des arbres*, 1970 © Éditions Albin Michel

Dans un mois, dans un an...

Hé bien ! régnez, cruel ; contentez votre gloire :
Je ne dispute plus. J'attendais, pour vous croire,
Que cette même bouche, après mille serments
D'un amour qui devait unir tous nos moments,
Cette bouche, à mes yeux s'avouant infidèle,
M'ordonnât elle-même une absence éternelle.
Moi-même j'ai voulu vous entendre en ce lieu.
Je n'écoute plus rien et, pour jamais, adieu.
Pour jamais ! Ah ! Seigneur, songez-vous en vous-même
Combien ce mot cruel est affreux quand on aime ?
Dans un mois, dans un an, comment souffrirons-nous,
Seigneur, que tant de mers me séparent de vous ?
Que le jour recommence, et que le jour finisse,
Sans que jamais Titus puisse voir Bérénice,
Sans que, de tout le jour, je puisse voir Titus !
Mais quelle est mon erreur, et que de soins perdus !
L'ingrat, de mon départ consolé par avance,
Daignera-t-il compter les jours de mon absence ?
Ces jours si longs pour moi lui sembleront trop courts.

Jean Racine, *Bérénice,* acte IV, scène V, 1670

DE L'HUMOUR

Ballade à la lune

C'était, dans la nuit brune,
Sur le clocher jauni,
    La lune
Comme un point sur un i.

Lune, quel esprit sombre
Promène au bout d'un fil,
    Dans l'ombre,
Ta face et ton profil ?

Es-tu l'œil du ciel borgne ?
Quel chérubin cafard
    Nous lorgne
Sous ton masque blafard ?

N'es-tu rien qu'une boule ?
Qu'un grand faucheux bien gras
    Qui roule
Sans pattes et sans bras ?

Es-tu, je t'en soupçonne,
Le vieux cadran de fer

    Qui sonne
L'heure aux damnés d'enfer ? [...]

Qui t'avait éborgnée
L'autre nuit ? T'étais-tu
    Cognée
À quelque arbre pointu ?

Car tu vins, pâle et morne,
Coller sur mes carreaux
    Ta corne,
À travers les barreaux. [...]

                    Alfred de Musset, *Premières poésies,* 1829

Jeanne était au pain sec...

Jeanne était au pain sec dans le cabinet noir,
Pour un crime quelconque, et, manquant au devoir,
J'allai voir la proscrite en pleine forfaiture,
Et lui glissai dans l'ombre un pot de confiture
Contraire aux lois. Tous ceux sur qui, dans ma cité,
Repose le salut de la société,
S'indignèrent, et Jeanne a dit d'une voix douce :

– Je ne toucherai plus mon nez avec mon pouce ;
Je ne me ferai plus griffer par le minet.
Mais on s'est récrié : – Cette enfant vous connaît ;
Elle sait à quel point vous êtes faible et lâche.
Elle vous voit toujours rire quand on se fâche.
Pas de gouvernement possible. À chaque instant
L'ordre est troublé par vous ; le pouvoir se détend ;
Plus de règle. L'enfant n'a plus rien qui l'arrête.
Vous démolissez tout. – Et j'ai baissé la tête,
Et j'ai dit : – Je n'ai rien à répondre à cela,
J'ai tort. Oui, c'est avec ces indulgences-là
Qu'on a toujours conduit les peuples à leur perte.
Qu'on me mette au pain sec. – Vous le méritez, certes,
On vous y mettra. – Jeanne alors, dans son coin noir,
M'a dit tout bas, levant ses yeux si beaux à voir,
Pleins de l'autorité des douces créatures :
– Eh bien, moi, je t'irai porter des confitures.

Victor Hugo, *L'art d'être grand-père,* 1877

Le Hareng saur

Il était un grand mur blanc – nu, nu, nu,
Contre le mur une échelle – haute, haute, haute,

Et, par terre, un hareng saur – sec, sec, sec.

Il vient, tenant dans ses mains – sales, sales, sales,
Un marteau lourd, un grand clou – pointu, pointu,
                                                    [pointu,
Un peloton de ficelle – gros, gros, gros.

Alors il monte à l'échelle – haute, haute, haute,
Et plante le clou pointu – toc, toc, toc,
Tout en haut du grand mur blanc – nu, nu, nu.

Il laisse aller le marteau – qui tombe, qui tombe, qui
                                                    [tombe,
Attache au clou la ficelle – longue, longue, longue,
Et, au bout, le hareng saur – sec, sec, sec.

Il redescend de l'échelle – haute, haute, haute,
L'emporte avec le marteau – lourd, lourd, lourd,
Et puis, il s'en va ailleurs – loin, loin, loin.

Et, depuis, le hareng saur – sec, sec, sec,
Au bout de cette ficelle – longue, longue, longue,
Très lentement se balance – toujours, toujours, toujours.

J'ai composé cette histoire – simple, simple, simple,

Pour mettre en fureur les gens – graves, graves, graves,
Et amuser les enfants – petits, petits, petits.

Charles Cros, *Le Coffret de santal,* 1873

Sur l'herbe

– L'abbé divague. – Et toi, marquis,
Tu mets de travers ta perruque.
– Ce vieux vin de Chypre est exquis
Moins, Camargo, que votre nuque.

– Ma flamme... – Do, mi, sol, la, si.
L'abbé, ta noirceur se dévoile !
– Que je meure, mesdames, si
Je ne vous décroche une étoile !

– Je voudrais être petit chien !
– Embrassons nos bergères, l'une
Après l'autre. – Messieurs ! eh bien ?
– Do, mi, sol. - Hé ! bonsoir, la Lune !

Paul Verlaine, *Fêtes galantes,* 1869

L'affaire se complique

Qu'est-ce que c'est
que tout ceci
qui va d'ici
jusque là-bas ?

Ho-ho par ci !
hou-hou par-là !
Qui est ici ?
et qui va là ?

Je dis : hé-là !
mais c'est pour qui ?
Et pourquoi qui
et pourquoi quoi ?

Quoi est à qui ?
À vous ? à lui ?
Qui vous l'a dit ?
Ce n'est pas moi
(ni moi non plus)
ni moi ni moi.

Jean Tardieu, *Monsieur Monsieur*, 1948-1950 © Éditions Gallimard

À la mémoire de Zulma...

Elle était riche de vingt ans,
Moi j'étais jeune de vingt francs,
Et nous fîmes bourse commune,
Placée, à fond-perdu, dans une
Infidèle nuit de printemps...

La lune a fait un trou dedans,
Rond comme un écu de cinq francs,
Par où passa notre fortune :
Vingt ans ! vingt francs !... et puis la lune
En monnaie – hélas – les vingt francs
En monnaie aussi les vingt ans !
Toujours de trous en trous de lune,
Et de bourse en bourse commune...
– C'est à peu près même fortune !

– Je la trouvai – bien des printemps,
Bien des vingt ans, bien des vingt francs,
Bien des trous et bien de la lune
Après – Toujours vierge et vingt ans,
Et... colonelle à la Commune !

– Puis après : la chasse aux passants,

Aux vingt sols, et plus aux vingt francs…
Puis après : la fosse commune,
Nuit gratuite sans trou de lune.

Tristan Corbière, *Les Amours jaunes,* 1873

Le Bonheur

Le bonheur est dans le pré. Cours-y vite, cours-y vite.
Le bonheur est dans le pré. Cours-y vite. Il va filer

Si tu veux le rattraper, cours-y vite, cours-y vite.
Si tu veux le rattraper, cours-y vite. Il va filer.

Dans l'ache et le serpolet, cours-y vite, cours-y vite,
dans l'ache et le serpolet, cours-y vite. Il va filer.

Sur les cornes du bélier, cours-y vite, cours-y vite,
sur les cornes du bélier, cours-y vite. Il va filer.

Sur le flot du sourcelet, cours-y vite, cours-y vite,
sur le flot du sourcelet, cours-y vite. Il va filer

De pommier en cerisier, cours-y vite, cours-y vite,

de pommier en cerisier, cours-y vite. Il va filer

Saute par-dessus la haie, cours-y vite, cours-y vite.
Saute par-dessus la haie, cours-y vite. Il a filé !

Paul Fort, *Ballades françaises,* 1897

Sur l'Hélène de Gustave Moreau...

Frêle sous ses bijoux, à pas lents, et sans voir
Tous ces beaux héros morts, dont pleurent les fiancées,
Devant l'horizon vaste ainsi que ses pensées
Hélène vient songer dans la douceur du soir.

« Qui donc es-tu, Toi qui sèmes le désespoir ? »
Lui râlent les mourants fauchés là par brassées,
Et la fleur qui se fane à ses lèvres glacées
Lui dit : Qui donc es-tu ? de sa voix d'encensoir.

Hélène cependant parcourt d'un regard morne
La mer, et les cités, et les plaines sans borne,
Et prie : « Oh ! c'est assez, Nature ! reprends-moi !

Entends ! Quel long sanglot vers nos Lois éternelles ! »

– Puis, comme elle frissonne en ses noires dentelles,
Lente, elle redescend, craignant de « prendre froid ».

Jules Laforgue, *Les Complaintes,* 1885

Pour faire le portrait d'un oiseau

Peindre d'abord une cage
avec une porte ouverte
peindre ensuite
quelque chose de joli
quelque chose de simple
quelque chose de beau
quelque chose d'utile
pour l'oiseau
placer ensuite la toile contre un arbre
dans un jardin
dans un bois
ou dans une forêt
se cacher derrière l'arbre
sans rien dire
sans bouger...
Parfois l'oiseau arrive vite
mais il peut aussi mettre de longues années

avant de se décider
Ne pas se décourager
attendre
attendre s'il le faut pendant des années
la vitesse ou la lenteur de l'arrivée de l'oiseau
n'ayant aucun rapport
avec la réussite du tableau
Quand l'oiseau arrive
s'il arrive
observer le plus profond silence
attendre que l'oiseau entre dans la cage
et quand il est entré
fermer doucement la porte avec le pinceau
puis
effacer un à un tous les barreaux
en ayant soin de ne toucher aucune des plumes de
l'oiseau
Faire ensuite le portrait de l'arbre
en choisissant la plus belle de ses branches
pour l'oiseau
peindre aussi le vert feuillage et la fraîcheur du vent
la poussière du soleil
et le bruit des bêtes de l'herbe dans la chaleur de l'été
et puis attendre que l'oiseau se décide à chanter
Si l'oiseau ne chante pas

C'est mauvais signe
signe que le tableau est mauvais
mais s'il chante c'est bon signe
signe que vous pouvez signer
Alors vous arrachez tout doucement
une des plumes de l'oiseau
et vous écrivez votre nom dans un coin du tableau.

Jacques Prévert, *Paroles,* 1945 © Éditions Gallimard

Le Grand Homme

Chez un tailleur de pierre
où je l'ai rencontré
il faisait prendre ses mesures
pour la postérité

Jacques Prévert, *Paroles,* 1945 © Éditions Gallimard

DE LA MÉLANCOLIE

El Desdichado

Je suis le ténébreux, – le veuf, – l'inconsolé,
Le Prince d'Aquitaine à la tour abolie :
Ma seule étoile est morte, – et mon luth constellé
Porte le Soleil noir de la Mélancolie.

Dans la nuit du tombeau, toi qui m'as consolé,
Rends-moi le Pausilippe et la mer d'Italie,
La fleur qui plaisait tant à mon cœur désolé,
Et la treille où le pampre à la rose s'allie.

Suis-je Amour ou Phœbus ?... Lusignan ou Biron ?
Mon front est rouge encor du baiser de la Reine ;
J'ai rêvé dans la grotte où nage la syrène...

Et j'ai deux fois vainqueur traversé l'Achéron :
Modulant tour à tour sur la lyre d'Orphée
Les soupirs de la sainte et les cris de la fée.

Gérard de Nerval, *Les Chimères,* 1854

Il pleure dans mon cœur

Il pleure dans mon cœur
Comme il pleut sur la ville ;
Quelle est cette langueur
Qui pénètre mon cœur ?

Ô bruit doux de la pluie
Par terre et sur les toits !
Pour un cœur qui s'ennuie
Ô le chant de la pluie !

Il pleure sans raison
Dans ce cœur qui s'écœure.
Quoi ! nulle trahison ?...
Ce deuil est sans raison.

C'est bien la pire peine
De ne savoir pourquoi,
Sans amour et sans haine
Mon cœur a tant de peine !

Paul Verlaine, *Romances sans paroles*, 1874

Le Pont Mirabeau

Sous le pont Mirabeau coule la Seine
  Et nos amours
Faut-il qu'il m'en souvienne
La joie venait toujours après la peine

  Vienne la nuit sonne l'heure
  Les jours s'en vont je demeure

Les mains dans les mains restons face à face
  Tandis que sous
Le pont de nos bras passe
Des éternels regards l'onde si lasse

  Vienne la nuit sonne l'heure
  Les jours s'en vont je demeure

L'amour s'en va comme cette eau courante
  L'amour s'en va
Comme la vie est lente
Et comme l'Espérance est violente

  Vienne la nuit sonne l'heure
  Les jours s'en vont je demeure

Passent les jours et passent les semaines
    Ni temps passé
Ni les amours reviennent
Sous le pont Mirabeau coule la Seine

    Vienne la nuit sonne l'heure
    Les jours s'en vont je demeure

Guillaume Apollinaire, Alcools, 1913 © Éditions Gallimard

Brise marine

La chair est triste, hélas ! et j'ai lu tous les livres.
Fuir ! là-bas fuir ! Je sens que des oiseaux sont ivres
D'être parmi l'écume inconnue et les cieux !
Rien, ni les vieux jardins reflétés par les yeux
Ne retiendra ce cœur qui dans la mer se trempe
Ô nuits ! ni la clarté déserte de ma lampe
Sur le vide papier que la blancheur défend
Et ni la jeune femme allaitant son enfant.
Je partirai ! Steamer balançant ta mâture,
Lève l'ancre pour une exotique nature !
Un Ennui, désolé par les cruels espoirs,
Croit encore à l'adieu suprême des mouchoirs !

Et, peut-être, les mâts, invitant les orages
Sont-ils de ceux qu'un vent penche sur les naufrages
Perdus, sans mâts, sans mâts, ni fertiles îlots...
Mais, ô mon cœur, entends le chant des matelots !

Stéphane Mallarmé, *Poésies*, 1887

Il n'y a pas d'amour heureux

Rien n'est jamais acquis à l'homme Ni sa force
Ni sa faiblesse ni son cœur Et quand il croit
Ouvrir ses bras son ombre est celle d'une croix
Et quand il croit serrer son bonheur il le broie
Sa vie est un étrange et douloureux divorce
    Il n'y a pas d'amour heureux
Sa vie Elle ressemble à ces soldats sans armes
Qu'on avait habillés pour un autre destin
À quoi peut leur servir de se lever matin
Eux qu'on retrouve au soir désœuvrés incertains
Dites ces mots Ma vie Et retenez vos larmes
    Il n'y a pas d'amour heureux
Mon bel amour mon cher amour ma déchirure
Je te porte dans moi comme un oiseau blessé
Et ceux-là sans savoir nous regardent passer

Répétant après moi les mots que j'ai tressés
Et qui pour tes grands yeux tout aussitôt moururent
    Il n'y a pas d'amour heureux
Le temps d'apprendre à vivre il est déjà trop tard
Que pleurent dans la nuit nos cœurs à l'unisson
Ce qu'il faut de malheur pour la moindre chanson
Ce qu'il faut de regrets pour payer un frisson
Ce qu'il faut de sanglots pour un air de guitare
    Il n'y a pas d'amour heureux
Il n'y a pas d'amour qui ne soit à douleur
Il n'y a pas d'amour dont on ne soit meurtri
Il n'y a pas d'amour dont on ne soit flétri
Et pas plus que de toi l'amour de la patrie
Il n'y a pas d'amour qui ne vive de pleurs

    Il n'y a pas d'amour heureux
    Mais c'est notre amour à tous deux

Louis Aragon, *La Diane française*, 1945 © Éditions Seghers

Ma chambre

Ma demeure est haute,
Donnant sur les cieux ;

La lune en est l'hôte,
Pâle et sérieux :
En bas que l'on sonne,
Qu'importe aujourd'hui ?
Ce n'est plus personne,
Quand ce n'est pas lui !

Aux autres cachée,
Je brode mes fleurs ;
Sans être fâchée,
Mon âme est en pleurs :
Le ciel bleu sans voiles,
Je le vois d'ici ;
Je vois les étoiles :
Mais l'orage aussi !

Vis-à-vis la mienne
Une chaise attend :
Elle fut la sienne,
La nôtre un instant :
D'un ruban signée,
Cette chaise est là,
Toute résignée,
Comme me voilà !

Marceline Desbordes-Valmore, *Bouquets et Prières*, 1843

Angoisses et autres

J'ai peur que Tu ne t'offenses
lorsque je mets en balance
dans mon cœur et dans mes œuvres
ton amour dont je me prive
et l'autre amour dont je meurs

Qu'écriras-tu en ces vers
ou bien Dieu que tu déranges
Dieu, les prêtres et les anges
ou bien tes amours d'enfer
et leurs agonies gourmandes
Justes rochers vieux molochs
je pars je reviens j'approche
de mon inaccessible mal
mes amours sont dans ma poche
je vais pleurer dans une barque

Sur les remparts d'Édimbourg
tant de douleur se marie ce soir
avec tant d'amour
que ton cheval Poésie
en porte une voile noire

Max Jacob, *Fond de l'eau, in Ballades,* 1927 © Éditions Gallimard

À peine défigurée

Adieu tristesse
Bonjour tristesse
Tu es inscrite dans les lignes du plafond
Tu es inscrite dans les yeux que j'aime
Tu n'es pas tout à fait la misère
Car les lèvres les plus pauvres te dénoncent
Par un sourire
Bonjour tristesse
Amour des corps aimables
Puissance de l'amour
Dont l'amabilité surgit
Comme un monstre sans corps
Tête désappointée
Tristesse beau visage.

Paul Éluard, *La Vie immédiate*, 1935

Jamais

Jamais, avez-vous dit, tandis qu'autour de nous
Résonnait de Schubert la plaintive musique ;
Jamais, avez-vous dit, tandis que, malgré vous,
Brillait de vos grands yeux l'azur mélancolique.

Jamais, répétiez-vous, pâle et d'un air si doux
Qu'on eût cru voir sourire une médaille antique.
Mais des trésors secrets l'instinct fier et pudique
Vous couvrit de rougeur, comme un voile jaloux.

Quel mot vous prononcez, marquise, et quel dommage !
Hélas ! je ne voyais ni ce charmant visage,
Ni ce divin sourire, en vous parlant d'aimer.

Vos yeux bleus sont moins doux que votre âme n'est
                                                    [belle.
Même en les regardant, je ne regrettais qu'elle,
Et de voir dans sa fleur un tel cœur se fermer.

Alfred de Musset, *Poésies nouvelles*, 1836

Chanson d'automne

Les sanglots longs
Des violons
    De l'automne
Blessent mon cœur
D'une langueur
    Monotone.

Tout suffocant
Et blême, quand
    Sonne l'heure,
Je me souviens
Des jours anciens
    Et je pleure ;

Et je m'en vais
Au vent mauvais
    Qui m'emporte
Deçà, delà,
Pareil à la
    Feuille morte.

Paul Verlaine, *Poèmes saturniens,* 1866

DE LA NOSTALGIE

Heureux qui, comme Ulysse...

Heureux qui, comme Ulysse, a fait un beau voyage,
Ou comme cestuy-là qui conquit la toison,
Et puis est retourné, plein d'usage et raison,
Vivre entre ses parents le reste de son âge !

Quand reverrai-je, hélas, de mon petit village
Fumer la cheminée, et en quelle saison
Reverrai-je le clos de ma pauvre maison,
Qui m'est une province, et beaucoup davantage ?

Plus me plaît le séjour qu'ont bâti mes aïeux,
Que des palais Romains le front audacieux,
Plus que le marbre dur me plaît l'ardoise fine :

Plus mon Loire gaulois, que le Tibre latin,
Plus mon petit Liré, que le mont Palatin,
Et plus que l'air marin la douceur angevine.

Joachim du Bellay, *Les Regrets,* 1558

Après trois ans

Ayant poussé la porte étroite qui chancelle,
Je me suis promené dans le petit jardin
Qu'éclairait doucement le soleil du matin,
Pailletant chaque fleur d'une humide étincelle.

Rien n'a changé. J'ai tout revu : l'humble tonnelle
De vigne folle avec les chaises de rotin…
Le jet d'eau fait toujours son murmure argentin
Et le vieux tremble sa plainte sempiternelle.

Les roses comme avant palpitent ; comme avant,
Les grands lys orgueilleux se balancent au vent.
Chaque alouette qui va et vient m'est connue.

Même j'ai retrouvé debout la Velléda
Dont le plâtre s'écaille au bout de l'avenue,
– Grêle, parmi l'odeur fade du réséda.

Paul Verlaine, *Poèmes saturniens*, 1866

Ma bohème

Je m'en allais, les poings dans mes poches crevées ;
Mon paletot aussi devenait idéal ;
J'allais sous le ciel, Muse ! et j'étais ton féal ;
Oh ! là ! là ! que d'amours splendides j'ai rêvées !

Mon unique culotte avait un large trou.
– Petit-Poucet rêveur, j'égrenais dans ma course
Des rimes. Mon auberge était à la Grande-Ourse.
– Mes étoiles au ciel avaient un doux frou-frou

Et je les écoutais, assis au bord des routes,
Ces bons soirs de septembre où je sentais des gouttes
De rosée à mon front, comme un vin de vigueur ;

Où, rimant au milieu des ombres fantastiques,
Comme des lyres, je tirais les élastiques
De mes souliers blessés, un pied près de mon cœur !

Arthur Rimbaud, *Poésies,* 1868-1870

Le Lac

Ainsi, toujours poussés vers de nouveaux rivages,
Dans la nuit éternelle emportés sans retour,
Ne pourrons-nous jamais sur l'océan des âges
    Jeter l'ancre un seul jour ?

Ô lac ! l'année à peine a fini sa carrière,
Et près des flots chéris qu'elle devait revoir,
Regarde ! je viens seul m'asseoir sur cette pierre
    Où tu la vis s'asseoir !

Tu mugissais ainsi sous ces roches profondes,
Ainsi tu te brisais sur leurs flancs déchirés,
Ainsi le vent jetait l'écume de tes ondes
    Sur ses pieds adorés.

Un soir, t'en souvient-il ? nous voguions en silence ;
On n'entendait au loin, sur l'onde et sous les cieux,
Que le bruit des rameurs qui frappaient en cadence
    Tes flots harmonieux.

Tout à coup des accents inconnus à la terre
Du rivage charmé frappèrent les échos ;
Le flot fut attentif, et la voix qui m'est chère

Laissa tomber ces mots :

« Ô temps ! suspends ton vol, et vous, heures propices !
　　Suspendez votre cours :
Laissez-nous savourer les rapides délices
　　Des plus beaux de nos jours !

« Assez de malheureux ici-bas vous implorent,
　　Coulez, coulez pour eux ;
Prenez avec leurs jours les soins qui les dévorent ;
　　Oubliez les heureux.

« Mais je demande en vain quelques moments encore,
　　Le temps m'échappe et fuit ;
Je dis à cette nuit : Sois plus lente ; et l'aurore
　　Va dissiper la nuit.

« Aimons donc, aimons donc ! de l'heure fugitive,
　　Hâtons-nous, jouissons !
L'homme n'a point de port, le temps n'a point de rive ;
　　Il coule, et nous passons ! » [...]

Alphonse de Lamartine, *Méditations poétiques*, 1820

Le ciel est par-dessus le toit

Le ciel est, par-dessus le toit,
    Si bleu, si calme !
Un arbre, par-dessus le toit,
    Berce sa palme.

La cloche, dans le ciel qu'on voit,
    Doucement tinte.
Un oiseau sur l'arbre qu'on voit
    Chante sa plainte.

Mon Dieu, mon Dieu, la vie est là,
    Simple et tranquille.
Cette paisible rumeur-là
    Vient de la ville.

– Qu'as-tu fait, ô toi que voilà
    Pleurant sans cesse,
Dis, qu'as-tu fait, toi que voilà,
    De ta jeunesse ?

Paul Verlaine, *Sagesse*, 1881

Ballade des dames du temps jadis

Dites-moi où, n'en quel pays,
Est Flora la belle Romaine,
Archipiades, ne Thaïs,
Qui fut sa cousine germaine,
Écho, parlant quand bruyt on mène
Dessus rivière ou sur étang,
Qui beauté eut trop plus qu'humaine ?
Mais où sont les neiges d'antan ?

Où est la très sage Héloïs,
Pour qui fut châtré et puis moine
Pierre Abélard à Saint-Denis ?
Pour son amour eut cette essoyne* !
Semblablement, où est la royne*
Qui commanda que Buridan
Fût jeté en un sac en Seine ?
Mais où sont les neiges d'antan ?

La Royne* Blanche comme liz
Qui chantait à voix de sirène,
Berthe au grant pié, Bietriz, Aliz,
Haremburgis qui tint le Maine,
Et Jehanne, la bonne Lorraine

Qu'Anglais brûlèrent à Rouen ;
Où sont-ilz, où, Vierge souv(e)raine ?
Mais où sont les neiges d'antan ?

Prince, n'enquerrez de semaine
Où elles sont, ne de cest an,
Que ce refrain ne vous remaine :
Mais où sont les neiges d'antan ?

*essoyne : malheur *royne : reine*

François Villon, *Le Testament,* 1461

De soi-même

Plus ne suis ce que j'ai été,
Et ne le saurais jamais être.
Mon beau printemps et mon été
Ont fait le saut par la fenêtre.
Amour, tu as été mon maître,
Je t'ai servi sur tous les Dieux.
Ah si je pouvais deux fois naître,
Comme je te servirais mieux !

Clément Marot, *Épigrammes,* 1538

DU SOUVENIR

L' Adieu

J'ai cueilli ce brin de bruyère
L'automne est morte souviens-t'en
Nous ne nous verrons plus sur terre
Odeur du temps brin de bruyère
Et souviens-toi que je t'attends

Guillaume Apollinaire, *Alcools,* 1913 © Éditions Gallimard

Harmonie du soir

Voici venir les temps où vibrant sur sa tige
Chaque fleur s'évapore ainsi qu'un encensoir ;
Les sons et les parfums tournent dans l'air du soir ;
Valse mélancolique et langoureux vertige !

Chaque fleur s'évapore ainsi qu'un encensoir ;
Le violon frémit comme un cœur qu'on afflige ;
Valse mélancolique et langoureux vertige !
Le ciel est triste et beau comme un grand reposoir.

Le violon frémit comme un cœur qu'on afflige,

Un cœur tendre, qui hait le néant vaste et noir !
Le ciel est triste et beau comme un grand reposoir ;
Le soleil s'est noyé dans son sang qui se fige.

Un cœur tendre, qui hait le néant vaste et noir,
Du passé lumineux recueille tout vestige !
Le soleil s'est noyé dans son sang qui se fige...
Ton souvenir en moi luit comme un ostensoir !

Charles Baudelaire, *Les Fleurs du Mal,* 1857

Colloque sentimental

Dans le vieux parc solitaire et glacé,
Deux formes ont tout à l'heure passé.

Leurs yeux sont morts et leurs lèvres sont molles,
Et l'on entend à peine leurs paroles.

Dans le vieux parc solitaire et glacé,
Deux spectres ont évoqué le passé.

– Te souvient-il de notre extase ancienne ?
– Pourquoi voulez-vous donc qu'il m'en souvienne ?

– Ton cœur bat-il toujours à mon seul nom ?
Toujours vois-tu mon âme en rêve ? – Non.

– Ah ! les beaux jours de bonheur indicible
Où nous joignions nos bouches ! – C'est possible.

– Qu'il était bleu, le ciel, et grand, l'espoir !
– L'espoir a fui, vaincu, vers le ciel noir.

Tels ils marchaient dans les avoines folles,
Et la nuit seule entendit leurs paroles.

Paul Verlaine, *Fêtes galantes,* 1869

Artémis

La Treizième revient… C'est encor la première ;
Et c'est toujours la seule, – ou c'est le seul moment
Car es-tu reine, ô toi ! la première ou dernière ?
Es-tu roi, toi le seul ou le dernier amant ?…

Aimez qui vous aima du berceau dans la bière ;
Celle que j'aimai seul m'aime encor tendrement :
C'est la mort – ou la morte… Ô délice ! ô tourment !

La rose qu'elle tient, c'est la Rose trémière.

Sainte napolitaine aux mains pleines de feux,
Rose au cœur violet, fleur de sainte Gudule :
As-tu trouvé ta croix dans le désert des cieux ?

Roses blanches, tombez ! vous insultez nos dieux,
Tombez fantômes blancs de votre ciel qui brûle :
– La sainte de l'abîme est plus sainte à mes yeux !

Gérard de Nerval, *Les Chimères*, 1854

À une passante

La rue assourdissante autour de moi hurlait.
Longue, mince, en grand deuil, douleur majestueuse,
Une femme passa, d'une main fastueuse
Soulevant, balançant le feston et l'ourlet ;

Agile et noble, avec sa jambe de statue.
Moi, je buvais, crispé comme un extravagant,
Dans son œil, ciel livide où germe l'ouragan,
La douceur qui fascine et le plaisir qui tue.

Un éclair... puis la nuit ! – Fugitive beauté
Dont le regard m'a fait soudainement renaître,
Ne te verrai-je plus que dans l'éternité ?

Ailleurs, bien loin d'ici ! trop tard ! jamais peut-être !
Car j'ignore où tu fuis, tu ne sais où je vais,
Ô toi que j'eusse aimée, ô toi qui le savais !

Charles Baudelaire, *Les Fleurs du Mal*, 1857

Quand vous serez bien vieille...

Quand vous serez bien vieille, au soir, à la chandelle,
Assise auprès du feu, dévidant et filant,
Direz, chantant mes vers, en vous émerveillant :
« Ronsard me célébrait du temps que j'étais belle. »

Lors vous n'aurez servante oyant telle nouvelle,
Déjà sous le labeur à demi sommeillant,
Qui au bruit de mon nom ne s'aille réveillant,
Bénissant votre nom de louange immortelle.

Je serai sous la terre et fantôme sans os
Par les ombres myrteux je prendrai mon repos ;

Vous serez au foyer une vieille accroupie,

Regrettant mon amour et votre fier dédain.
Vivez, si m'en croyez, n'attendez à demain :
Cueillez dès aujourd'huy les roses de la vie.

Pierre de Ronsard, Sonnets pour Hélène, 1578

Le tremble est blanc

Le temps irrévocable a fui. L'heure s'achève.
Mais toi, quand tu reviens, et traverses mon rêve,
Tes bras sont plus frais que le jour qui se lève,
Tes yeux plus clairs.

À travers le passé ma mémoire t'embrasse.
Te voici. Tu descends en courant la terrasse
Odorante, et tes faibles pas s'embarrassent
Parmi les fleurs.

Par un après-midi de l'automne, au mirage
De ce tremble inconstant que varient les nuages,
Ah ! verrai-je encor se farder ton visage
D'ombre et de soleil ?

Paul-Jean Toulet, Les Contrerimes, 1921

Évadné

L'été et notre vie étions d'un seul tenant
La campagne mangeait la couleur de ta jupe odorante
Avidité et contrainte s'étaient réconciliées
Le château de Maubec s'enfonçait dans l'argile
Bientôt s'effondrerait le roulis de sa lyre
La violence des plantes nous faisait vaciller
Un corbeau rameur sombre déviant de l'escadre
Sur le muet silex de midi écartelé
Accompagnait notre entente aux mouvements tendres
La faucille partout devait se reposer
Notre rareté commençait un règne
(Le vent insomnieux qui nous ride la paupière
En tournant chaque nuit la page consentie
Veut que chaque part de toi que je retienne
Soit étendue à un pays d'âge affamé et de larmier géant)

C'était au début d'adorables années
La terre nous aimait un peu je me souviens.

René Char, « *Fureur et mystère* », in *Œuvres complètes*, 1964

© Éditions Gallimard

Nevermore

Souvenir, souvenir, que me veux-tu ? L'automne
Faisait voler la grive à travers l'air atone,
Et le soleil dardait un rayon monotone
Sur le bois jaunissant où la bise détonne.

Nous étions seul à seule et marchions en rêvant,
Elle et moi, les cheveux et la pensée au vent.
Soudain, tournant vers moi son regard émouvant :
« Quel fut ton plus beau jour ? » fit sa voix d'or vivant,

Sa voix douce et sonore, au frais timbre angélique.
Un sourire discret lui donna la réplique,
Et je baisai sa main blanche, dévotement.

– Ah ! les premières fleurs, qu'elles sont parfumées !
Et qu'il bruit avec un murmure charmant
Le premier oui qui sort de lèvres bien-aimées !

Paul Verlaine, *Poèmes saturniens*, 1866

DU DESTIN

À Cassandre

Mignonne, allons voir si la rose
Qui ce matin avait déclose
Sa robe de pourpre au Soleil,
A point perdu ceste vesprée
Les plis de sa robe pourprée,
Et son teint au vôtre pareil.

Las ! voyez comme en peu d'espace,
Mignonne, elle a dessus la place
Las ! las ses beautés laissé choir !
Ô vraiment marâtre Nature,
Puisqu'une telle fleur ne dure
Que du matin jusques au soir !

Donc, si vous me croyez, mignonne,
Tandis que votre âge fleuronne
En sa plus verte nouveauté,
Cueillez, cueillez votre jeunesse :
Comme à ceste fleur la vieillesse
Fera ternir votre beauté.

Pierre de Ronsard, *Les Odes,* livre I, Ode XVII, 1550

Le Cid

DON DIÈGUE
Ô rage ! ô Désespoir ! ô vieillesse ennemie !
N'ai-je donc tant vécu que pour cette infamie ?
Et ne suis-je blanchi dans les travaux guerriers
Que pour voir en un jour flétrir tant de lauriers ?
Mon bras, qu'avec respect toute l'Espagne admire,
Mon bras, qui tant de fois a sauvé cet empire,
Tant de fois affermi le trône de son roi
Trahit donc ma querelle, et ne fait rien pour moi ?
Ô cruel souvenir de ma gloire passée !
Œuvre de tant de jours en un jour effacée !
Nouvelle dignité, fatale à mon bonheur !
Précipice élevé d'où tombe mon honneur !
Faut-il de votre éclat voir triompher le Comte,
Et mourir sans vengeance, ou vivre dans la honte ?
Comte, sois de mon prince à présent gouverneur ;
Ce haut rang n'admet point un homme sans honneur ;
Et ton jaloux orgueil, par cet affront insigne,
Malgré le choix du roi, m'en a su rendre indigne.
Et toi, de mes exploits glorieux instrument,
Mais d'un corps tout de glace inutile ornement,
Fer, jadis tant à craindre, et qui, dans cette offense,
M'as servi de parade, et non pas de défense,

Va, quitte désormais le dernier des humains,
Passe, pour me venger, en de meilleures mains.

Pierre Corneille, *Le Cid,* acte I, scène IV, 1636

Demain

Âgé de cent mille ans, j'aurais encor la force
De t'attendre, ô demain pressenti par l'espoir.
Le temps, vieillard souffrant de multiples entorses,
Peut gémir : le matin est neuf, neuf est le soir.

Mais depuis trop de mois nous vivons à la veille,
Nous veillons, nous gardons la lumière et le feu,
Nous parlons à voix basse et nous tendons l'oreille
À maint bruit vite éteint et perdu comme au jeu.

Or, du fond de la nuit, nous témoignons encore
De la splendeur du jour et de tous ses présents.
Si nous ne dormons pas c'est pour guetter l'aurore
Qui prouvera qu'enfin nous vivons au présent.

Robert Desnos, *État de veille in Destinée arbitraire,* 1942

© Éditions Gallimard

L'amour et la mort

Regardez-les passer, ces couples éphémères !
Dans les bras l'un de l'autre enlacés un moment,
Tous, avant de mêler à jamais leurs poussières,
    Font le même serment :

Toujours ! Un mot hardi que les cieux qui vieillissent
Avec étonnement entendent prononcer,
Et qu'osent répéter des lèvres qui pâlissent
    Et qui vont se glacer.

Vous qui vivez si peu, pourquoi cette promesse
Qu'un élan d'espérance arrache à votre cœur,
Vain défi qu'au néant vous jetez, dans l'ivresse
    D'un instant de bonheur ?

Amants, autour de vous une voix inflexible
Crie à tout ce qui naît : « Aime et meurs ici-bas ! »
La mort est implacable et le ciel insensible ;
    Vous n'échapperez pas.

Eh bien ! puisqu'il le faut, sans trouble et sans murmure,
Forts de ce même amour dont vous vous enivrez
Et perdus dans le sein de l'immense Nature,

Aimez donc, et mourez ! [...]

Louise Ackermann, *Poésies philosophiques*, 1874

La Mort du loup (III)

[...]
Hélas ! ai-je pensé, malgré ce grand nom d'Hommes,
Que j'ai honte de nous, débiles que nous sommes !
Comment on doit quitter la vie et tous ses maux,
C'est vous qui le savez, sublimes animaux !
À voir ce que l'on fut sur terre et ce qu'on laisse,
Seul le silence est grand ; tout le reste est faiblesse.
– Ah ! je t'ai bien compris, sauvage voyageur,
Et ton dernier regard m'est allé jusqu'au cœur !
Il disait : « Si tu peux, fais que ton âme arrive,
À force de rester studieuse et pensive,
Jusqu'à ce haut degré de stoïque fierté
Où, naissant dans les bois, j'ai tout d'abord monté.
Gémir, pleurer, prier est également lâche.
Fais énergiquement ta longue et lourde tâche
Dans la voie où le Sort a voulu t'appeler,
Puis après, comme moi, souffre et meurs sans parler. »

Alfred de Vigny, *Les Destinées*, 1864

L' Albatros

Souvent, pour s'amuser, les hommes d'équipage
Prennent des albatros, vastes oiseaux des mers,
Qui suivent, indolents compagnons de voyage,
Le navire glissant sur les gouffres amers.

À peine les ont-ils déposés sur les planches,
Que ces rois de l'azur, maladroits et honteux,
Laissent piteusement leurs grandes ailes blanches
Comme des avirons traîner à côté d'eux.

Ce voyageur ailé, comme il est gauche et veule !
Lui, naguère si beau, qu'il est comique et laid !
L'un agace son bec avec un brûle-gueule,
L'autre mime, en boitant, l'infirme qui volait !

Le Poète est semblable au prince des nuées
Qui hante la tempête et se rit de l'archer ;
Exilé sur le sol au milieu des huées,
Ses ailes de géant l'empêchent de marcher.

Charles Baudelaire, *Les Fleurs du Mal*, 1857

Clair de lune

Votre âme est un paysage choisi
Que vont charmant masques et bergamasques
Jouant du luth et dansant et quasi
Tristes sous leurs déguisements fantasques.

Tout en chantant sur le mode mineur
L'amour vainqueur et la vie opportune,
Ils n'ont pas l'air de croire à leur bonheur
Et leur chanson se mêle au clair de lune,

Au calme clair de lune triste et beau,
Qui fait rêver les oiseaux dans les arbres
Et sangloter d'extase les jets d'eau,
Les grands jets d'eau sveltes parmi les marbres.

Paul Verlaine, *Fêtes galantes,* 1869

Excuse mélancolique

Je ne vous aime pas, non, je n'aime personne,
L'Art, le Spleen, la Douleur sont mes seules amours ;
Puis, mon cœur est trop vieux pour fleurir comme
[aux jours
Où vous eussiez été mon unique madone.

Je ne vous aime pas, mais vous semblez si bonne.
Je pourrais oublier dans vos yeux de velours,
Et dégonfler mon cœur crevé de sanglots sourds
Le front sur vos genoux, enfant frêle et mignonne.

Oh ! dites, voulez-vous ? Je serais votre enfant.
Vous sauriez endormir mes tristesses sans causes,
Vous auriez des douceurs pour mes heures moroses,

Et peut-être qu'à l'heure où viendrait le néant
Baigner mon corps brisé de fraîcheur infinie,
Je mourrais doucement, consolé de la vie.

Jules Laforgue, *Les Complaintes,* 1885

Correspondances

La Nature est un temple où de vivants piliers
Laissent parfois sortir de confuses paroles ;
L'homme y passe à travers des forêts de symboles
Qui l'observent avec des regards familiers.

Comme de longs échos qui de loin se confondent
Dans une ténébreuse et profonde unité,
Vaste comme la nuit et comme la clarté,
Les parfums, les couleurs et les sons se répondent.

Il est des parfums frais comme des chairs d'enfants,
Doux comme les hautbois, verts comme les prairies,
– Et d'autres, corrompus, riches et triomphants,

Ayant l'expansion des choses infinies,
Comme l'ambre, le musc, le benjoin et l'encens,
Qui chantent les transports de l'esprit et des sens.

Charles Baudelaire, *Les Fleurs du Mal*, 1857

Assis sur un fagot...

Assis sur un fagot, une pipe à la main,
Tristement accoudé contre une cheminée,
Les yeux fixés vers terre, et l'âme mutinée,
Je songe aux cruautés de mon sort inhumain.

L'espoir qui me remet du jour au lendemain,
Essaie à gagner temps sur ma peine obstinée,
Et me venant promettre une autre destinée
Me fait monter plus haut qu'un empereur romain.

Mais à peine cette herbe est-elle mise en cendre,
Qu'en mon premier état il me convient descendre,
Et passer mes ennuis à redire souvent :

Non, je ne trouve point beaucoup de différence
De prendre du tabac à vivre d'espérance,
Car l'un n'est que fumée, et l'autre n'est que vent.

Saint-Amant, *Œuvres,* 1629

SEPT FABLES

Les sept fables de Jean de La Fontaine
qui vous sont proposées sont extraites des livres I et VI,
publiés en 1668, et du livre VII, paru en 1678.

Le Loup et l'Agneau

La raison du plus fort est toujours la meilleure :
    Nous l'allons montrer tout à l'heure.
    Un Agneau se désaltérait
    Dans le courant d'une onde pure.
Un Loup survient à jeun qui cherchait aventure,
    Et que la faim en ces lieux attirait.
    « Qui te rend si hardi de troubler mon breuvage ?
    Dit cet animal plein de rage :
    Tu seras châtié de ta témérité.
– Sire, répond l'Agneau, que votre Majesté
    Ne se mette pas en colère ;
    Mais plutôt qu'elle considère
    Que je me vas désaltérant
    Dans le courant,
    Plus de vingt pas au-dessous d'Elle,
Et que par conséquent, en aucune façon,
    Je ne puis troubler sa boisson.

– Tu la troubles, reprit cette bête cruelle,
Et je sais que de moi tu médis l'an passé.
– Comment l'aurais-je fait si je n'étais pas né ?
Reprit l'Agneau, je tette encor ma mère.
– Si ce n'est toi, c'est donc ton frère.
– Je n'en ai point. – C'est donc quelqu'un des tiens :
    Car vous ne m'épargnez guère,
    Vous, vos bergers, et vos chiens.
    On me l'a dit : il faut que je me venge. »
    Là-dessus, au fond des forêts
    Le Loup l'emporte, et puis le mange,
    Sans autre forme de procès.

Livre I

Le Corbeau et le Renard

Maître Corbeau, sur un arbre perché,
Tenait en son bec un fromage.
Maître Renard, par l'odeur alléché,
Lui tint à peu près ce langage :
« Hé ! bonjour, Monsieur du Corbeau.
Que vous êtes joli ! que vous me semblez beau !
Sans mentir, si votre ramage

Se rapporte à votre plumage,
Vous êtes le Phénix des hôtes de ces bois. »
À ces mots le Corbeau ne se sent pas de joie ;
Et pour montrer sa belle voix,
Il ouvre un large bec, laisse tomber sa proie.
Le Renard s'en saisit, et dit : « Mon bon Monsieur,
Apprenez que tout flatteur
Vit aux dépens de celui qui l'écoute :
Cette leçon vaut bien un fromage, sans doute. »
Le Corbeau, honteux et confus,
Jura, mais un peu tard, qu'on ne l'y prendrait plus.

Livre I

La Cigale et la Fourmi

La Cigale, ayant chanté
Tout l'été,
Se trouva fort dépourvue
Quand la bise fut venue :
Pas un seul petit morceau
De mouche ou de vermisseau.
Elle alla crier famine
Chez la Fourmi sa voisine,

La priant de lui prêter
Quelque grain pour subsister
Jusqu'à la saison nouvelle.
« Je vous paierai, lui dit-elle,
Avant l'Août, foi d'animal,
Intérêt et principal. »
La Fourmi n'est pas prêteuse :
C'est là son moindre défaut.
Que faisiez-vous au temps chaud ?
Dit-elle à cette emprunteuse.
– Nuit et jour à tout venant
Je chantais, ne vous déplaise.
– Vous chantiez ? j'en suis fort aise.
Eh bien ! dansez maintenant.

Livre I

Le Cochet, le Chat, et le Souriceau

Un Souriceau tout jeune, et qui n'avait rien vu,
    Fut presque pris au dépourvu.
Voici comme il conta l'aventure à sa mère :
J'avais franchi les Monts qui bornent cet État,
    Et trottais comme un jeune Rat

Qui cherche à se donner carrière,
Lorsque deux animaux m'ont arrêté les yeux :
    L'un doux, bénin et gracieux,
Et l'autre turbulent, et plein d'inquiétude.
    Il a la voix perçante et rude,
    Sur la tête un morceau de chair,
Une sorte de bras dont il s'élève en l'air
    Comme pour prendre sa volée,
    La queue en panache étalée.
Or c'était un Cochet dont notre Souriceau
    Fit à sa mère le tableau,
Comme d'un animal venu de l'Amérique.
Il se battait, dit-il, les flancs avec ses bras,
    Faisant tel bruit et tel fracas,
Que moi, qui grâce aux Dieux, de courage me pique,
    En ai pris la fuite de peur,
    Le maudissant de très bon cœur.
    Sans lui j'aurais fait connaissance
Avec cet animal qui m'a semblé si doux.
    Il est velouté comme nous,
Marqueté, longue queue, une humble contenance ;
Un modeste regard, et pourtant l'œil luisant :
    Je le crois fort sympathisant
Avec Messieurs les Rats ; car il a des oreilles
    En figure aux nôtres pareilles.

Je l'allais aborder, quand d'un son plein d'éclat
    L'autre m'a fait prendre la fuite.
– Mon fils, dit la Souris, ce doucet est un Chat,
    Qui sous son minois hypocrite
    Contre toute ta parenté
    D'un malin vouloir est porté.
    L'autre animal tout au contraire
    Bien éloigné de nous mal faire,
Servira quelque jour peut-être à nos repas.
Quant au Chat, c'est sur nous qu'il fonde sa cuisine.
    Garde-toi, tant que tu vivras,
    De juger des gens sur la mine.

Livre VI

La Laitière et le Pot au lait

Perrette sur sa tête ayant un Pot au lait
    Bien posé sur un coussinet,
Prétendait arriver sans encombre à la ville.
Légère et court vêtue elle allait à grands pas ;
Ayant mis ce jour-là, pour être plus agile,
    Cotillon simple, et souliers plats.
    Notre laitière ainsi troussée

Comptait déjà dans sa pensée
Tout le prix de son lait, en employait l'argent,
Achetait un cent d'œufs, faisait triple couvée ;
La chose allait à bien par son soin diligent.
    Il m'est, disait-elle, facile,
D'élever des poulets autour de ma maison :
    Le Renard sera bien habile,
S'il ne m'en laisse assez pour avoir un cochon.
Le porc à s'engraisser coûtera peu de son ;
Il était quand je l'eus de grosseur raisonnable :
J'aurai le revendant de l'argent bel et bon.
Et qui m'empêchera de mettre en notre étable,
Vu le prix dont il est, une vache et son veau,
Que je verrai sauter au milieu du troupeau ?
Perrette là-dessus saute aussi, transportée.
Le lait tombe ; adieu veau, vache, cochon, couvée ;
La dame de ces biens, quittant d'un œil marri
    Sa fortune ainsi répandue,
    Va s'excuser à son mari
    En grand danger d'être battue.
    Le récit en farce en fut fait ;
    On l'appela le Pot au lait.

    Quel esprit ne bat la campagne ?
    Qui ne fait châteaux en Espagne ?

Picrochole, Pyrrhus, la Laitière, enfin tous,
    Autant les sages que les fous ?
Chacun songe en veillant, il n'est rien de plus doux :
Une flatteuse erreur emporte alors nos âmes :
    Tout le bien du monde est à nous,
    Tous les honneurs, toutes les femmes.
Quand je suis seul, je fais au plus brave un défi ;
Je m'écarte, je vais détrôner le Sophi ;
    On m'élit roi, mon peuple m'aime ;
Les diadèmes vont sur ma tête pleuvant :
Quelque accident fait-il que je rentre en moi-même ;
    Je suis gros Jean comme devant.

Livre VII

Le Héron

Un jour, sur ses longs pieds, allait je ne sais où,
Le Héron au long bec emmanché d'un long cou.
    Il côtoyait une rivière.
L'onde était transparente ainsi qu'aux plus beaux jours ;
Ma commère la carpe y faisait mille tours
    Avec le brochet son compère.
Le Héron en eût fait aisément son profit :

Tous approchaient du bord, l'oiseau n'avait qu'à prendre ;
    Mais il crut mieux faire d'attendre
    Qu'il eût un peu plus d'appétit.
Il vivait de régime, et mangeait à ses heures.
Après quelques moments l'appétit vint : l'oiseau
    S'approchant du bord vit sur l'eau
Des Tanches qui sortaient du fond de ces demeures.
Le mets ne lui plut pas ; il s'attendait à mieux
    Et montrait un goût dédaigneux
    Comme le rat du bon Horace.
Moi des Tanches ? dit-il, moi Héron que je fasse
Une si pauvre chère ? Et pour qui me prend-on ?
La Tanche rebutée il trouva du goujon.
Du goujon ! c'est bien là le dîner d'un Héron !
J'ouvrirais pour si peu le bec ! aux Dieux ne plaise !
Il l'ouvrit pour bien moins : tout alla de façon
    Qu'il ne vit plus aucun poisson.
La faim le prit, il fut tout heureux et tout aise
    De rencontrer un limaçon.

    Ne soyons pas si difficiles :
Les plus accommodants ce sont les plus habiles :
On hasarde de perdre en voulant trop gagner.
    Gardez-vous de rien dédaigner.

Livre VII

La Grenouille qui se veut faire aussi grosse que le Bœuf

Une Grenouille vit un Bœuf
Qui lui sembla de belle taille.
Elle, qui n'était pas grosse en tout comme un œuf,
Envieuse, s'étend, et s'enfle, et se travaille,
Pour égaler l'animal en grosseur,
Disant : « Regardez bien, ma sœur ;
Est-ce assez ? dites-moi ; n'y suis-je point encore ?
Nenni. – M'y voici donc ? – Point du tout. – M'y voilà ?
– Vous n'en approchez point. » La chétive pécore
S'enfla si bien qu'elle creva.

Le monde est plein de gens qui ne sont pas plus sages :
Tout bourgeois veut bâtir comme les grands seigneurs,
Tout petit prince a des ambassadeurs,
Tout marquis veut avoir des pages.

Livre I

LES POÈTES

Moyen Âge

Marie de France (1154-1189)

Marie de France a vécu à la cour d'Aliénor d'Aquitaine et Henri II Plantagenêt, en Angleterre, dans la seconde moitié du XIIe siècle. Elle a écrit des fables en vers de huit syllabes, et des lais qui sont des nouvelles versifiées – elle les appelle les Lais bretons. L'extrait qui se termine par : *Ni vous sans moi, ni moi sans vous,* raconte l'amour fou qui unit Tristan à celle qui a été destinée à son oncle, le roi Marc : Iseut.

François Villon (Paris 1431 – en 1463, il est banni de la ville de Paris ; on ne l'a jamais revu depuis...)

Parce qu'il a tué accidentellement un prêtre bagarreur en 1456, parce qu'il joue les guetteurs lors d'un vol au collège de Navarre à Paris en 1457, parce qu'il se trouve de nouveau mêlé à une rixe de rue en 1462, on considère généralement François Villon comme un mauvais garçon... C'est oublier bien vite qu'en ces temps troublés de l'après guerre de Cent Ans, on peut livrer sans s'en apercevoir son destin aux plus mauvais des hasards ; c'est oublier surtout que de tous les poètes français, François de Moncorbier, dit François Villon, est le plus étonnant, le plus étrange, le plus émouvant. Le plus grand ? Sans aucun doute, mais c'est à vous de décider, après la lecture de ses deux œuvres : *Le Lais et Le Testament*.

XVIe siècle

Louise Labé (Lyon vers 1520-Parcieux-en-Dombes 1566)

Fille d'un bourgeois lyonnais, Pierre Charly, appelé Labé, cordier enrichi, Louise épouse en 1545 Ennemond Perrin, également cordier. Elle devient ainsi pour ses contemporains, ses amants réels ou supposés, et pour la postérité, la Belle Cordière. Elle laisse en héritage un ensemble de poèmes à la fois brillants et brûlants, lumineux et incandescents ; denses, intenses, comme le sont les plus vifs désirs...

Joachim du Bellay (Liré en Anjou 1522-Paris 1560)

Dans les ancêtres de la famille du Bellay, on trouve…
Hugues Capet ! Mais, malgré ce fondateur de la dynastie capétienne bien accroché dans les branches de son
arbre généalogique, Joachim du Bellay vit chichement
près de ses parents, au château de la Trumelière, à
Liré, en Anjou. Après ses études à Poitiers, puis à Paris,
il vit à Rome auprès de son cousin, le cardinal Jean du
Bellay dont il devient le secrétaire. C'est dans la Ville
éternelle qu'il écrit son sonnet le plus connu – publié
après son retour en France, en 1558, dans le recueil
intitulé *Les Regrets* : Heureux qui comme Ulysse…

Clément Marot (Cahors 1496-Turin 1544)

Le père de Clément Marot, originaire de Caen, fut chapelier à Cahors, puis secrétaire d'Anne de Bretagne
pour laquelle il écrivait sur commande de jolies pièces
de vers. Au service de François Ier ensuite, il lança son
fils Clément dans le métier des lettres. Clément, tout feu
tout flamme auprès des dames, écrit des poèmes pleins
de charme ou d'ironie, d'inquiétude ou de fantaisie.
Protégé par la sœur du roi, Marguerite de Navarre –

auteur d'un recueil de nouvelles : l'*Heptaméron* – il montre des sympathies pour les idées réformistes, ce qui lui vaut plusieurs séjours en prison, et l'exil. Il meurt à Turin en 1544.

Pierre de Ronsard (Couture-sur-Loir 1524-Saint-Cosme-en-Lisle 1585)

Qu'il en a passé du temps, Ronsard, à… ronsardiser, c'est-à-dire à compliquer la langue jusqu'à la rendre obscure. Il faut dire qu'à la cour des rois Henri II, puis Charles IX et Henri III, il avait fait admettre l'idée que la France n'existerait jamais sans une langue française riche et unique, libérée de la domination du latin. Et cette richesse nouvelle passa par des innovations si hardies que, parfois, on n'y comprenait plus rien !

Mais, ronsardisant, Ronsard n'en demeure pas moins l'amant ardent qui utilise la forme poétique qu'il avait mise à la mode – le sonnet – comme une clé dont il espéra toujours qu'elle pénétrerait toutes les serrures. Mais, semble-t-il, même parfaits, ses trousseaux de sonnets ne purent ouvrir – et encore moins forcer – les huis rebelles, de sorte que, jusqu'en ses derniers étés, Ronsard a toujours semblé fort contrarié…

XVIIe siècle

François de Malherbe (Caen 1555-Paris 1628)

Enfin Malherbe vint, et, le premier en France, / Fit sentir dans les vers une juste cadence... Ces deux alexandrins sont de Nicolas Boileau (1636-1711) qui jugeait qu'avant François de Malherbe, on écrivait des vers qui tiraient à hue et à dia.

Ce jugement est excessif : Malherbe a simplement amélioré la clarté de la langue française en dégasconnant la cour (le verbe est inventé par Guez de Balzac, 1595-1654 ; ne le confondez pas avec Honoré du même nom, 1799-1850), c'est-à-dire en supprimant des locutions provinciales, des latinismes en trop grand nombre, apparus au XVIe siècle. Malherbe traçait si mal ses lettres que l'imprimeur du poème *Consolation à Monsieur Du Périer* lut : Et Rose, elle a vécu ce que vivent les roses... au lieu de l'original : Et Rosette (prénom de la jeune fille) a vécu ce que vivent les roses... La version de l'imprimeur est bien la plus jolie...

Saint-Amant (Quevilly 1594-Paris 1661)

Marc-Antoine Girard qui a préféré se faire appeler le sieur de Saint-Amant – nom sous lequel nous l'avons quasiment oublié aujourd'hui… – fut l'un des premiers académiciens, en 1634, après avoir été soldat, diplomate, puis… poète à la mode. Ses compositions épiques, héroïques ou satiriques, révèlent son esprit vif et brillant, esprit que l'on retrouve dans la partie du dictionnaire de l'Académie qu'il a prise en charge : celle des termes burlesques…

Pierre de Marbeuf (Sahurs 1596-1645)

Pendant les quatre années qu'il séjourne à Paris, entre 1619 et 1623, Pierre de Marbeuf, originaire de Sahurs, dans l'Eure, se mêle au monde littéraire. Il découvre et utilise habilement les effets de la paronomase – la répétition de sons identiques ou voisins dans des mots de sens différents. Ainsi, l'amour, la mer et la mort se lient sous sa plume experte en harmonies répétitives, intactes aujourd'hui, dans le singulier complot des choses et des mots.

Georges de Scudéry (Le Havre 1601-Paris 1667)

Georges de Scudéry écrivit avec sa sœur Madeleine, un roman-fleuve qui obtint beaucoup de succès entre 1649 et 1653 : le *Grand Cyrus* (amoureux de Mandane) – qui, en réalité est le Grand Condé, le vainqueur de Rocroi (amoureux de la duchesse de Longueville...). Scudéry, c'est aussi la plume armée de Richelieu, fou jaloux de Corneille qui, en 1636, fait un triomphe avec sa tragi-comédie *Le Cid* ! Le Cardinal charge Scudéry de trouver mille et un défauts à la pièce qui n'en est que plus aimée du public... Finalement, tout s'arrange, le roi Louis XIII ayant réussi à calmer les esprits. Scudéry a laissé quelques charmantes poésies.

Pierre Corneille (Rouen 1606-Paris 1684)

Mes pareils à deux fois ne se font point connaître / Et pour leurs coups d'essai veulent des coups de maître ! – Je suis jeune, il est vrai, mais aux âmes bien nées, la valeur n'attend point le nombre des années ! – À qui venge son père, il n'est rien d'impossible / Ton bras est invaincu, mais non pas invincible ! – À vaincre sans péril, on triomphe sans gloire ! – Tous ces alexandrins frappés comme au poinçon dans nos riches mémoires sont signés Pierre Corneille. Ils sont extraits de son drame le plus connu : *Le Cid*.

Timide et jeune avocat de Rouen, Corneille a fait jouer ses premières pièces à Paris ; elles ont obtenu tant de succès, malgré les cabales montées par Richelieu lui-même, qu'on lui en a commandé beaucoup d'autres – *Horace, Cinna, Polyeucte…* Le succès venu, il a continué de vivre à Rouen jusqu'à cinquante-six ans, puis s'est établi à Paris, où, peu à peu, l'oubli va le précipiter dans la gêne. Il meurt en 1684.

Jean de La Fontaine (Château-Thierry 1621-Paris 1695)

L'image du La Fontaine maître des eaux et forêts se promenant dans les grands bois, et s'asseyant benoîtement au pied d'un arbre pour observer le monde des animaux et des insectes afin de le transposer dans ses fables est à proscrire de votre imagination – si toutefois on l'y a installée… Jean de La Fontaine n'a pas inventé les fables qu'il raconte – à quelques exceptions près. Il les a empruntées aux auteurs grecs, latins, indiens, à ceux du Moyen Âge, à ses contemporains… Où donc est alors son génie ? Eh bien, dans la seule richesse que possède un écrivain : l'écriture !

Le génie de La Fontaine, c'est un art incomparable de la narration, une façon habile et artiste de raconter le détail en conduisant le lecteur vers une idée générale – trop souvent enfermée dans le terme réducteur de morale… Fouquet, son premier mécène, l'apprécia à sa juste valeur. Louis XIV se méfia du bonhomme si prompt à la critique du pouvoir, si hardi ! Au-delà de ses morales, il nous donne encore beaucoup de leçons, aujourd'hui.

Jean Racine (La Ferté-Milon 1639-Paris 1699)

Le doux Racine ? Celui qui fait dire à Andromaque, la veuve d'Hector, captive de Pyrrhus qui la convoite : *Je passais jusqu'aux lieux où l'on garde mon fils / Puisqu'une fois le jour vous souffrez que je voie / Le seul bien qui me reste d'Hector et de Troie : / J'allais, Seigneur, pleurer un moment avec lui / Je ne l'ai point encore embrassé d'aujourd'hui…* (n'est-ce pas que c'est émouvant ?). Le cynique, l'inquiétant Racine ?… qui montre un Néron se repaissant de la douleur de Junie qu'il a fait arrêter par ses gardes – il veut ravir la jeune fille à son amant : Britannicus – ; il la voit alors passer *dans le simple appareil d'une beauté qu'on vient d'arracher au sommeil...* (en trois lettres, cela donne : nue).

Le calculateur, l'ingrat Racine ?... qui trahit Molière, et tous ceux qui l'ont aidé, aimé. L'arriviste ?... historiographe du Roi-Soleil, Louis XIV ! Qui était Jean Racine ? Doux, peut-être ; cynique, sans doute ; calculateur, voire... Plus sûrement, Racine fut et demeure le fils préféré de la langue française. Voilà bien l'essentiel...

XVIIIe siècle

Antoine de Bertin
(île de la Réunion 1752-Saint-Domingue 1790)

Dans les années 1780, à la cour de Versailles, on lit, on fait lire de Bertin, on l'apprend, on le récite, bref, on l'aime ! L'une de ses plus ferventes admiratrices s'appelle Marie-Antoinette, reine de France ! Heureux Antoine de Bertin qui, en si bon chemin vers la gloire continue de produire de ces élégies qui l'élèvent alors au rang des plus grands. Hélas, ce poète soldat, ou soldat poète, arrivé de l'île de la Réunion (île Bourbon en ce temps-là), meurt à trente-huit ans, oublié, autant qu'aujourd'hui – ou presque, puisqu'il se trouve ici...

André Chénier (Constantinople 1762-Paris 1794)

De quoi était-il donc coupable, André Chénier, pour gravir les marches qui le conduisent à la guillotine, le 25 juillet 1794, vers quatre heures de l'après-midi ? Né à Constantinople, le 30 octobre 1762, fils de Louis Chénier, consul général de France, et d'Élisabeth Santi-Lomaca – orthodoxe et nourrie de culture grecque –, il a passé sa vie à écrire. Des poèmes imités de l'antique, admirés, inimitables ! Et puis, après s'être enthousiasmé pour la Révolution, il s'est emporté contre ses excès, à travers des écrits virulents. C'est là son crime !

Les enragés de 1794 le font arrêter alors qu'il est revenu de son exil londonien. Emprisonné, il va avoir le temps de s'éprendre d'une beauté menacée elle aussi de décapitation – mais qui échappera au couperet – : Aimée de Coigny. C'est elle la jeune captive, son dernier amour. Déclaré prosateur stérile, André Chénier est guillotiné ! Le voici, en ces pages, afin que la mémoire collective ne lui réserve pas le même sort...

XIXᵉ siècle

Marceline Desbordes-Valmore (Douai 1786-Paris 1859)

Pauvre Marceline Desbordes-Valmore ! Elle meurt le
25 juillet 1859, à Paris, dans un petit appartement, rue
de Rivoli, après une vie de courts bonheurs et de
rudes malheurs. Les courts bonheurs sont ceux de sa
vie d'actrice et de cantatrice, commencée à son retour
de Guadeloupe où l'avait emmenée sa mère après la
ruine de la famille. Les rudes malheurs s'abattent sur
la petite famille qu'elle tente de construire : d'une première liaison naît un fils qui meurt à l'âge de cinq ans.
Elle épouse ensuite Prosper Valmore, mène avec lui
une existence plutôt précaire, devient mère de trois
enfants dont deux meurent au seuil de l'âge adulte.
Malgré le sort qui s'acharne sur sa vie, Marceline
Desbordes-Valmore publie de nombreux recueils de
poèmes remarqués par Lamartine, Hugo, Baudelaire…
Et par vous aujourd'hui !

Alphonse de Lamartine (Mâcon 1790-Paris 1869)

Grand aristocrate de province, grand royaliste, grand

séducteur, grand orateur, poète, Lamartine a installé, dans les territoires de la poésie, un lac que certains jugent profond et d'autres creux…

Profond parce qu'il exprime la douleur sincère d'un amant qui se souvient d'heures heureuses passées auprès de celle qu'il aima, qu'il aime toujours, mais qui n'est plus là – l'amante, Julie Charles, se meurt à Paris, pendant que Lamartine écrit son Lac sur les bords du lac du Bourget, lieu de la rencontre initiale en octobre 1816. Creux parce que certains se plaignent qu'on y baigne dans un romantisme plaintif, élégiaque à l'excès, et qui multiplie les envolées lyriques sans s'élever bien haut… Mais, Lamartine, ce ne sont pas seulement les *Méditations poétiques* publiées en 1820 – où l'on trouve *Le Lac* –, ce sont aussi une pièce de théâtre, *Jocelyn,* un livre d'histoire, celle des Girondins ; c'est une carrière politique qui trouve son apogée et sa fin en 1848 – Lamartine fait adopter le drapeau tricolore – ; c'est une fin de vie dans la ruine et la misère, en 1869. C'est *Le Lac.*

Alfred de Vigny (Loches 1797-Paris 1863)

J'aime le son du Cor, le soir, au fond des bois, / Soit

qu'il chante les pleurs de la biche aux abois, / Ou l'adieu du chasseur que l'écho faible accueille, / Et que le vent du nord porte de feuille en feuille… Apprîtes-vous ces vers de Vigny – repris par le facétieux Charles Trenet, dans une chanson fort amusante ?… Vigny ne fut point un amuseur. Toujours grave, hiératique, imprégné d'un sentiment de grandeur, il agace ses contemporains qui le lui font parfois cruellement sentir – sa réception à l'Académie française, en 1845, est assortie d'un discours plein d'ironie à son égard ! On retient de sa vie sentimentale une liaison orageuse avec l'actrice Marie Dorval, jusqu'en 1838, année où il décide de vivre dans sa thébaïde de Maine-Giraud, en Charente, loin du monde et du bruit. Il y écrit *La Mort du loup*. Il y souffre, y meurt sans parler…, en 1863.

Victor Hugo (Besançon 1802-Paris 1885)

Villequier, 4 septembre 1843. Charles Vacquerie et Léopoldine Hugo, mariés depuis février, décident d'aller voir leur notaire à Caudebec en Caux, en canot à voile. Au retour, un coup de vent fait chavirer l'embarcation dont les occupants meurent noyés.

Victor Hugo qui revient d'un voyage en Espagne n'apprend la mort de sa fille que cinq jours plus tard, en consultant un journal dans une auberge, par hasard, à Soubise, près de Rochefort. Il croit perdre la raison. Sa douleur sans borne le privera de l'écriture pendant plusieurs années. *Demain, dès l'aube...* est la lettre poignante qu'il écrit à l'absente quatre ans après le drame, le 4 septembre 1847.

Hugo surmonte pourtant ce coup terrible du destin. À sa carrière de poète, de dramaturge – il renouvelle le genre dramatique avec sa pièce *Hernani* –, de romancier, de chroniqueur, s'ajoute celle du politique qui va passer presque vingt années en exil, à Jersey puis Guernesey. De retour en France, accablé de nouveaux deuils, il trouve malgré tout réconfort et bonheur auprès de ses petits-enfants, publie *L'art d'être grand-père* – « Jeanne était au pain sec ». Quant à sa carrière de séducteur...

Félix Arvers (Paris 1806-1850)

Poète et dramaturge, il était amoureux de Marie Nodier (fille de l'écrivain Charles Nodier, 1780-1844). Il ne confia son secret qu'à sa page blanche. Elle s'orna alors d'un sonnet résigné publié dans le recueil *Mes heures perdues*, en 1833. D'Arvers le timide, la postérité n'a retenu que ces strophes d'amant transi.

Gérard de Nerval (Paris 1808-1855)

Nerval ? D'où vient ce pseudonyme que se choisit le poète ? Observez le nom de sa mère : Laurent. Enlevez la lettre t ; puis lisez le reste à l'envers – sachant qu'en lettres d'imprimerie ancienne, la lettre u et la lettre v se confondent. Lauren se lit ainsi Nerval. Mais observez aussi Labrunie, le nom du père du poète : vous y trouvez aussi les lettres qui composent Nerval – reste deux lettres : bi, qui prennent leur sens puisque Nerval s'est toujours dit habité d'un autre soi-même. Quelle est alors l'origine de Nerval ? Peut-être une troisième solution : l'emprunt du nom de Nerva à un modeste bien maternel dans le Valois – Nerva est aussi le nom d'un empereur romain…

Bref, on ne saura pas pourquoi Gérard Labrunie choisit un jour de s'appeler Gérard de Nerval. Mais on sait qu'il lutta jour après jour contre la folie qui s'était emparée de lui. On sait qu'il fut retrouvé pendu dans la nuit du 25 au 26 janvier 1855, rue de l'Ancienne-Lanterne à Paris, près du Châtelet. On sait qu'il écrivit fort peu de poèmes. N'eût-il écrit qu'*El Desdichado* qu'il figurerait, de toute façon, parmi les plus grands.

Louise Ackermann (Victorine Choquet ; Paris 1813-Nice 1890)

Victorine Choquet naquit en France, y fit ses études, puis se maria à Berlin, à Paul Ackermann, un pasteur protestant. Veuve quelques années plus tard, elle se retire dans un petit domaine qu'elle achète, près de Nice, très affectée par la disparition de celui qui avait su faire son bonheur. Les travaux agricoles auxquels elle se consacre n'étouffent pas son désir d'écrire. Elle publie ses poèmes, pessimistes et lucides. Ils sont à son image – à l'image d'une femme qui comprit bien trop tôt, la vanité de tout serment d'éternité.

Charles Baudelaire (Paris 1821-1867)

Sois sage, ô ma douleur… Il semble que cette injonction s'échappe de chacun des portraits de Baudelaire, on la sent qui se dessine sur ses lèvres serrées, on la voit qui surgit de son regard d'acier. Douleur ! La douleur est partout dans les vers du poète à la mèche raide, et rebelle.

Pas un sourire. Pas un clin d'œil. L'humour en deuil. *Les Fleurs du Mal,* recueil paru en juin 1857, dédié à Victor Hugo, sont condamnées deux mois plus tard, pour… outrage à la morale ! Et ce jugement n'est cassé qu'en 1949 ! Que de malheurs se sont abattus sur la tête de l'infortuné Baudelaire : une syphilis sournoise, rampante, victorieuse finalement ; des amours sans espoir, des trahisons, et cette condamnation… Jusqu'à ce 14 mars 1866 où il tombe dans l'église de Namur, frappé d'un mal qui ne lui laisse jusqu'à sa mort un an plus tard qu'un seul mot : Crénom ! Pourtant, Baudelaire, c'est à coup sûr le plus grand. Entrez dans ses poèmes : la douleur y est bien sage, bien tranquille, elle s'abîme en d'étranges bonheurs, inimitables, uniques. Et, cré-nom, que c'est beau !

François Coppée (Paris, 1842-1908)

Coppée connut la gloire en son temps non par la poé-sie mais par le théâtre : le 14 janvier 1869, sa comédie en un acte et vers, *Le Passant,* fut acclamée par un public conquis, heureux de lui faire fête encore en 1870, pour *Deux douleurs,* pièce en un acte et en vers, en 1871, pour *Fais ce que dois,* pour *L'Abandonnée,* en 1872, pour *Les Bijoux de la délivrance,* pour *Le Rendez-vous...* Au total, une quinzaine de pièces, mais aussi une bonne douzaine de romans, et – venons-y – plus de vingt recueils de poèmes !

Que reste-t-il aujourd'hui de cet écrivain d'origine modeste et qui voulut toujours écrire de petites choses sur des petits riens ? Il reste cette phrase, cette interrogation, l'ultime vers du poème *Les Oiseaux* qui sert de titre à un roman célèbre – ôtée la mécanique mal huilée de ses trois premières syllabes – : *Est-ce que les oiseaux se cachent pour mourir ?* Est-ce là tout ce qui survit de Coppée ? Quasiment...

Stéphane Mallarmé (Paris 1842-Valvins 1898)

Étrange, la langue de Mallarmé ! Étrange et envoûtante ! À vrai dire, déroutante, d'abord. Mais lorsqu'on a compris que la règle de son jeu consiste à lancer dans la syntaxe une idée comme on lancerait une boule dans un jeu de quilles, on s'amuse ensuite à remettre debout ce qui paraissait désordre. Tout devient simple alors. On se dit soudain que poésie rime aussi avec facétie. Mais cette première étape franchie, rien, pourtant n'est résolu. La magie opère encore, l'étrangeté s'accroît. Le sens semble s'enfuir, se mettre en embuscade. Mot par mot, on conquiert le mystère... Mallarmé fut professeur d'anglais, chahuté. Ce chahuteur de mots, d'idées, admiré par ses pairs, mourut subitement, d'un spasme de la gorge. Un engorgement de mots. De mots révoltés. Peut-être...

Charles Cros (Fabrezan, Aude 1842-Paris 1888)

Charles Cros, quel cerveau ! C'est un scientifique génial qui invente le phonographe en 1877. Mais le malheur fait que l'Académie des sciences à laquelle il a confié sa découverte sous pli fermé, n'ouvre ce pli qu'après la présentation par Edison du même appareil... Il imagine aussi le principe de la photographie couleur, du télégraphe automatique... Cros, c'est aussi, c'est surtout un poète qui a offert à la postérité un *Coffret de santal* – son premier recueil de poèmes – débordant de richesses ! Tant de dons chez ce génie général ! Quelle est la faille alors qui l'a fait dévier de la route de la gloire vers des sentiers buissonniers ? La faille est une fée, la fée verte. Celle des Verlaine et Rimbaud : l'absinthe qui rend fou, qui prend tout... Ou presque puisque nous restent de jolis petits Cros à planter dans le gris des jours, tous les jours de la vie...

José-Maria de Heredia (Cuba 1842-Château de Bourdonné, Seine-et-Oise 1905)

Heredia naît à Cuba. À Santiago de Cuba. Plus exacte-ment, à Fortuna. Il descend de conquistadors espa-gnols. Son père, planteur de café, a fait fortune. La fortune du père est aussi celle du fils qui s'établit en France. Heredia dispose alors de tout son temps pour ciseler des sonnets qui cultivent la perfection formelle sans chercher à porter vers le lecteur quelque message caché, codé ou profond – ainsi se caractérise le mou-vement parnassien. Heredia publie, en 1893, à la demande d'un éditeur, les cent dix-huit sonnets qui composent son œuvre principale : *Les Trophées*. Vous rappelez-vous avoir appris :

Comme un vol de gerfauts hors du charnier natal, / Fatigués de porter leurs misères hautaines, / De Palos de Moguer, routiers et capitaines / Partaient, ivres d'un rêve héroïque et brutal...

C'est de lui, et cela se termine ainsi :

Ils allaient conquérir le fabuleux métal / Que Cipango mûrit dans ses mines lointaines, / Et les vents alizés

*inclinaient leurs antennes / Aux bords mystérieux du
monde occidental. / Chaque soir, espérant des lende-
mains épiques, / L'azur phosphorescent de la mer des
Tropiques / Enchantait leur sommeil d'un mirage doré ; /
Ou penchés à l'avant des blanches caravelles, / Ils
regardaient monter en un ciel ignoré / Du fond de
l'Océan des étoiles nouvelles.*

Paul Verlaine (Metz 1844-Paris 1896)

Amoureux. Verlaine a toujours été amoureux de l'idée
même de l'amour, sans jamais réussir à la conduire sur
l'étroit sentier du bonheur. Amoureux de sa cousine
Élisa Moncomble… frôlements de doigts, regards trou-
blants, gestes équivoques sans doute, rendez-vous
secrets, peut-être, peut-être plus encore, sait-on…
Mais Élisa se marie à quelqu'un d'autre, attend un
enfant. L'enfant naît, sa mère en meurt. Verlaine sombre. Son existence devient celle d'un naufragé qui
s'accroche à la poésie, à la fée verte – l'absinthe –, à
Rimbaud l'illuminé. Tant de beauté dans ses poèmes,
tant d'horreur dans sa vie – violence contre sa femme
Mathilde, contre sa mère… Verlaine des extrêmes.
Pour nous, sa poésie. Tout le reste pour l'oubli.

Arthur Rimbaud (Charleville 1854-Marseille 1891)

Quel chenapan, Rimbaud ! Son programme ? Tout casser, tout briser, tout détruire, tout brûler ! Des plans pour reconstruire ? Bof… Place à la poésie ! Le monde entier doit y entrer, l'univers doit y tenir, compressé dans l'atome de la beauté. Gageure que tout cela ? Point du tout : il suffit au poète de pratiquer *un long, immense et raisonné dérèglement de tous les sens* – ainsi s'exprime Rimbaud dans la lettre qu'il envoie à un poète de Douai, Paul Demeny, lettre depuis sacralisée par ses thuriféraires, et devenue *La Lettre du Voyant*… Chenapan de Rimbaud !

Oui mais… Quelle commotion lorsqu'on découvre son aventure avec les mots, quelle aveuglante lumière – ainsi la trace des météores… Entre seize et vingt ans, ses frasques avec Verlaine. Et pendant ces quatre ans seulement, la création poétique. Ensuite ? Plus rien. De vingt ans à trente-six ans – il meurt amputé d'une jambe à Marseille – rien d'autre que la vie précaire d'un marchand de café en Abyssinie, d'un petit trafiquant d'armes… Économe, recalculant sans cesse ses économies. Enragé encore. Mais rangé.

Jules Laforgue (Montevideo 1860-Paris 1887)

Montevideo a donné à la France trois grands poètes :
Jules Supervielle, Isidore Ducasse, et Jules Laforgue.
Trois poètes issus d'une histoire de parents qui émi-
grent vers l'Amérique du Sud, d'installation en un pays
lointain où les rêves d'herbe plus verte se fanent au fil
des jours pendant que germent des idées de retour.
Supervielle, Ducasse (Lautréamont) et Laforgue revin-
rent au pays. Laforgue y fit ses études puis, en 1883,
devint lecteur auprès de l'impératrice Augusta, grand-
mère du futur empereur Guillaume II. En 1886, il
épousa, en Angleterre, miss Leah Lee. En 1887, il s'ins-
talla avec elle, à Paris. La même année, à vingt-sept
ans, il quitta la vie. Un an plus tard, Leah Lee la quitta
aussi. Lisez Laforgue, tout Laforgue. La plus vivante
des poésies.

Edmond Rostand (Marseille 1868-Paris 1918)

27 décembre1897. Première représentation de Cyrano
de Bergerac… La veille, Edmond Rostand a failli lui
couper le nez. Ou plutôt, saisi de mille doutes, trou-
vant trop longue sa pièce en cinq actes, il a tenté de

la raccourcir, en coupant la célèbre tirade du nez :
Ah ! non ! c'est un peu court, jeune homme ! / On pouvait dire… / Oh ! Dieu !… bien des choses en somme…
– qu'il finit par conserver ! Sa pièce remporte un triomphe. Hier comme aujourd'hui.

XXᵉ siècle

Paul-Jean Toulet (Pau 1867-Guéthary 1920)

L'île Maurice, Alger, le Pays basque, Paris, ses bars et ses noctambules. Des amis qui s'appellent Debussy, Henriot, Giraudoux, ou Maurice-Edmond Saillant, dit Curnonsky. Toulet, c'est tout cela. Avec Curnonsky, il s'en va en Extrême-Orient pour un reportage sur l'exposition d'Hanoi. 1908 : il devient le nègre d'Henry-Gauthier Villars, dit Willy, l'ancien époux de Colette. Il publie des romans, vit la nuit dans les bars à whisky. 1912 : il s'installe au Pays basque, à Guéthary.
Quatre de ses amis – Francis Carco, Tristan Derème, Jean Pellerin et Léon Vérane – lui ont demandé de rassembler ses poèmes en un recueil. Ainsi naissent *Les Contrerimes* dont il relit les épreuves lorsque, le lundi 6 septembre 1920, il meurt d'une hémorragie céré-

brale. Le recueil *Les Contrerimes* paraît le 31 décembre de la même année.

Paul Valéry (Sète 1871-Paris 1945)

Quarante-sept ans ! C'est à cet âge que le Sétois Paul Valéry renoue avec l'écriture poétique qu'il avait abandonnée pour une enquête personnelle sur le fonctionnement de l'intelligence humaine – à travers, entre autres, la sienne… À cet âge commence sa véritable carrière littéraire. Elle atteint très vite des sommets : sa poésie où s'hybrident intensément l'intelligent et le sensible, semble exempte des faillites habituelles du langage. Cette densité plaît. Elle conduit Paul Valéry sur toutes sortes de piédestaux. On l'admire. Il s'en amuse parfois, continue son œuvre, donne de nombreuses conférences dans toute l'Europe.

Pendant la Seconde Guerre mondiale, refusant toute collaboration, il est destitué de ses fonctions. Lisez aussi, mieux : apprenez par cœur *Le Cimetière marin,* l'un des sommets de la poésie française. En voici les premiers vers : *Ce toit tranquille où marchent des colombes / Entre les pins palpite, entre les tombes / Midi le juste y compose de feux / La mer, la mer, toujours recommencée / Ô récompense après une pensée / Qu'un long regard sur le calme des dieux...*

Paul Fort (Reims 1872-Montlhéry 1960)

Mallarmé, Verlaine, Gide, Moréas sont les amis de Paul Fort qui se passionne d'abord pour le théâtre – il n'a que dix-sept ans lorsqu'il lance un manifeste sur le théâtre symboliste. Cette passion aboutira à la création du théâtre de l'Art, rebaptisé, plus tard, théâtre de l'œuvre. À vingt-quatre ans, il publie ses premiers poèmes dans le magazine *Le Mercure de France*. Rassemblés en un recueil, ces poèmes au lyrisme plein de fraîcheur et de simplicité, portent le nom de balla-des. Sans ressemblance aucune avec celles de Villon dans leur forme, elles n'utilisent pas le vers classique, mais partent à la recherche du bonheur en utilisant le verset – vers libre de toute contrainte, qui prend ses aises et peut occuper deux ou trois lignes. Paul Fort fut élu prince des poètes en 1912.

Max Jacob (Quimper 1876-Drancy 1944)

Professeur de piano, astrologue, magasinier, peintre (artiste peintre…), critique d'art sous le nom de Léon David, clerc d'avoué… Poète avant tout : Max Jacob ! En 1901, il fait la rencontre de Picasso, partage avec lui une chambre boulevard Voltaire. Apollinaire, Braque deviennent leurs familiers. Installé au 7 de la rue Ravignan, en 1907, Max Jacob y reçoit, deux ans plus tard, la visite… du Christ ! Il se convertit alors au catholicisme – il est baptisé le 18 février 1915, Picasso est son parrain. Retiré à Saint-Benoît-sur-Loire de 1921 à 1927, puis de 1936 à 1944, il publie de nombreux recueils de poèmes, dont *Le Cornet à dés,* en 1917.
Le jeudi 24 février 1944, la gestapo arrête Max Jacob qui sort de la messe, à Saint-Benoît. Transféré au camp de Drancy quatre jours plus tard, il y meurt le dimanche 5 mars. Humour et tendresse, malice et décalage, effervescence, chahut des mots pour tenir les choses à distance… Max le grand, l'épatant Max vous attend.

Guillaume Apollinaire (Rome 1880-Paris 1918)

Wilhelm Apollinaris de Kostrowitzky… Un bonheur pour nous qu'il ait simplifié ce long patronyme ! Guillaume Apollinaire a beaucoup voyagé avant de se fixer à Paris : né à Rome, il commence ses études à Monaco, les poursuit à Cannes, les termine à Nice, séjourne avec sa mère à Stavelot en Belgique – elle se ruine au casino de Spa… Paris, enfin, en 1899. En 1901 et 1902, Apollinaire devient le précepteur de la fille de la vicomtesse de Milhau qui emploie également une gouvernante : Annie Playden. Guillaume au cœur tendre tombe amoureux d'Annie qui s'en méfie, et s'enfuit ! Grand malheur pour Guillaume qui écrit alors *L'Adieu* – grand bonheur pour nous, lecteurs…

Il y aura ensuite Marie Laurencin – pour elle : *Le Pont Mirabeau* –, il y aura Lou – pour elle cet acrostiche : **L**e soir descend / **O**n y pressent / **U**n long destin de sang. –, il y aura Madeleine Pagès, Jacqueline Kolb… Il y aura la terrible blessure du 17 mars 1916 : un éclat d'obus dans la tempe – Apollinaire s'est engagé en 1914. Et puis la mort, de la grippe espagnole, en 1918. De cet ami de Max Jacob, de Picasso, du Douanier Rousseau, de Paul Léautaud, il nous reste *Marie,* mille autres poésies. La Poésie…

Paul Éluard (Saint-Denis 1895-Paris 1952)

Hélas ! Hélas mille fois ! Et pourquoi ? Pourquoi Gala alla à Dali ? Gala – Helene Dimitrieva Diakonava – avait rencontré Eugène Grindel en Suisse. Comme lui, elle soignait là-bas sa tuberculose. Tous deux guéris, ils se marient en 1916. Eugène Grindel écrit de la poésie. Il se choisit un pseudonyme : Éluard – le nom de sa grand-mère –, le fait précéder du prénom Paul. Paul Éluard participe au mouvement des années vingt, Dada (son inventeur, Tristan Tzara, veut détruire l'ordre existant, qui a produit la guerre). En même temps, il devient un surréaliste actif, si actif qu'en 1923, il va boxer Tzara sur ordre d'André Breton !

En 1924, Éluard disparaît de la circulation ! On le recherche, on le retrouve... en Asie. Il était parti faire le tour du monde ! En réalité, il fuit ses amours tourmentées avec Gala. 1926 : Éluard publie son œuvre majeure : *Capitale de la douleur.* Puis Gala s'en va avec Salvador Dali, le génie aux facétieuses moustaches... Éluard ne se remettra jamais de cette séparation. Il voyage beaucoup, aime de nouveau. Clandestin pendant la guerre, il participe à la création des éditions de Minuit. Nusch avec qui il a refait sa vie meurt en 1946. Douleur insupportable qui s'apaise en 1951 auprès d'une nouvelle compagne : Dominique. Un an plus tard, Éluard meurt.

Louis Aragon (Paris 1897-1982)

Aragon ! Louis Andrieux, préfet de police de Paris, décide de donner ce nom à son fils. Aragon. Pourquoi pas Andrieux ? C'est que… Louis Andrieux est un homme installé dans la vie, avec femme et enfants. Ce petit Louis qui vient de naître en 1897 a pour mère une jeune fille dont il est tombé amoureux fou : Marguerite Toucas. Elle a trente-quatre ans de moins que lui qui est presque sexagénaire ! Et pourquoi Aragon ? Parce que c'est le nom d'une province d'Espagne dont Louis Andrieux conserve un doux souvenir – il y fut en poste plusieurs années.

À Saint-Pierre de Neuilly où il va à l'école, le petit Louis Aragon, frêle, est souvent la cible de petits cruels. Mais un grand le défend. Et ce grand – plus âgé d'un an – a pour nom Montherlant… Deux Grands aujourd'hui, Aragon et Montherlant !

Aragon participe au mouvement Dada, au surréalisme, publie des romans, des poèmes. Il rencontre Elsa Triolet (Ella Iourevna Kagan) le 6 novembre 1928, à cinq heures, au restaurant La Coupole, à Paris. Ils ne se quitteront plus. Il écrit pour elle les plus beaux poèmes d'amour de la langue française.

Jacques Prévert
(Neuilly-sur-Seine 1900-Omonville-la-Petite 1977)

Jacques Prévert, ce sont des films, des scénarios (ou, si vous faites partie des intégristes du pluriel en langue d'origine : des scenarii...), des chansons – l'inoubliable, l'inusable *Les Feuilles mortes* sur une musique de Vladimir Kosma –, du théâtre, et surtout, de la poésie. Son recueil majeur, *Paroles,* s'arrache en librairie dès sa mise en vente, en 1945 ! Du jamais vu pour la poésie qui s'envole, décontractée, souriante, drôle, amusante, inattendue, vers des millions de lecteurs ravis – on n'a pas fait mieux depuis. Et personne ne relève le défi...

Robert Desnos (Paris 1900 – mort en déportation à Terezin, Tchécoslovaquie, le 8 juin 1945)

Robert Desnos, celui d'entre nous qui, peut-être, s'est le plus approché de la vérité surréaliste, celui qui, dans des œuvres encore inédites et le long des multiples expériences auxquelles il s'est prêté, a justifié pleinement l'espoir que je plaçais dans le surréalisme... Ces lignes sont signées André Breton, en 1924. Cinq ans plus tard, Breton écrit : *Une grande complaisance envers soi-même, c'est ce que je reproche à Desnos.* Que s'est-il passé ? Les deux hommes ne s'accordent pas sur leur engagement politique. Robert Desnos publie, en dehors de toute école, de tout dogmatisme, une œuvre riche et originale. Pendant la Seconde Guerre mondiale, le résistant qu'il est devenu est arrêté par la Gestapo, déporté à Buchenwald. Il meurt le vendredi 8 juin 1945, au camp de concentration de Terezin.

Jean Tardieu (Saint-Germain-de-Joux 1903-Paris 1995)

Après des études au lycée Condorcet, puis à la Sorbonne, Jean Tardieu devient rédacteur aux Musées nationaux. Acteur de la Résistance pendant la Seconde Guerre mondiale, il commence sa carrière d'homme de radio à la Libération. Son œuvre dramatique, jouée à partir des années cinquante, remporte un succès considérable. Le fantastique, l'irréel, l'absurde, l'humour s'y marient en trompant les mots qui s'invitent pour cette grande fête du sourire, ces grandes vacances du sens.

Léopold Sédar Senghor
(Joal, Sénégal 1906-Verson, Calvados 2001)

Agrégé de grammaire à vingt-neuf ans, après des études au Sénégal, puis à Louis-le-Grand à Paris, et à la Sorbonne, Léopold Sédar Senghor, né au Sénégal, enseigne au lycée Descartes, à Tours, entre 1935 et 1938. Mobilisé en 1939, fait prisonnier en 1940, il retrouve la liberté en janvier 1942, réformé pour maladie. Il entre alors dans la Résistance. Sa riche carrière politique qui commence en 1945 le conduit à la première présidence de la République du Sénégal, le 5 septembre 1960. Constamment réélu, il quitte volontairement cette fonction en décembre 1980. Son œuvre poétique, riche de vingt recueils, a été couronnée par les prix les plus prestigieux.

René Char (L'Isle-sur-la-Sorgue 1907-Paris 1988)

Ralentir, travaux. Voilà le titre que trois poètes donnent au recueil qu'ils publient ensemble en 1930. Trois surréalistes qui se nomment André Breton, Paul Éluard et

René Char. Dix ans plus tard, la guerre éclate. Char va devenir le capitaine Alexandre, chef de la section atterrissages-parachutages Région 2 dans le département des Basses-Alpes. Après la Libération, il rencontre les peintres Matisse, Braque, Nicolas de Staël, Picasso, Giacometti. Il collabore aux *Cahiers d'art,* à d'autres revues. Char est l'auteur de nombreux recueils où se déploie un langage prompt au mystère, où l'image devient signe, où le signe perd le sens, déroute, et conduit dans le grand large de tous les possibles.

René Guy Cadou
(Sainte-Reine-de-Bretagne 1920-Louisfert 1951)

Sainte-Reine-de-Bretagne / En Brière où je suis né / À se souvenir on gagne / Du bonheur pour des années… Bonheur pour nous, lecteurs de Cadou ! Bonheur de parcourir avec lui la campagne agenouillée, de respirer l'odeur des lys, de cueillir des désespoirs du peintre… Bonheur de traverser des matins de brumes et de pommiers, de franchir *le Néant* qui court dans les prés… Bonheur et privilège de connaître la poésie de l'instituteur de Louisfert, en Loire inférieure (aujourd'hui Loire-Atlantique), qui chaque soir, à cinq heures, *pré-*

pare les feux, s'installe face à la *ruée des terres,* au pays
des pierres bleues, et traduit le monde. Cadou, l'universel, n'en résout pas les mystères ; il les rend plus denses, les élève en pleine lumière ; sa poésie fascine et
bouleverse. Cadou a disparu le jour du printemps
1951, à trente et un ans. Depuis, sa femme Hélène,
poète aussi, continue de parler de lui au présent.
Cadou, l'universel, Cadou de tous les temps.

Yves Bonnefoy (né à Tours en 1923)

Math sup, math spé, un certificat de mathématiques
générales à l'université de Poitiers. Les grandes écoles ?
Oui, mais… Les énigmes mathématiques ont trouvé
une concurrente de taille dans l'esprit d'Yves
Bonnefoy : l'énigme poétique. Depuis des millénaires,
on s'emploie à la résoudre en proposant des formules
qui ont pris pour support, pendant des siècles, la scan-
sion et la rime, avec de belles réussites, mais rien de
décisif – la poésie, cette inconnue demeure irrésolue.
Yves Bonnefoy décide de s'y mesurer – il a croisé, sur
sa route, Gaston Bachelard, le philosophe, et André
Breton, le surréaliste. Libre, sobre, simple et riche, la
poésie de Bonnefoy conquiert l'insoupçonné, résout à

a façon sa propre énigme, nous emporte, nous ravit.

Charles Le Quintrec (né à Plescop, Morbihan, en 1926)

Sous le titre *Terre océane,* un choix des poèmes de Charles Le Quintrec paraît en 2006. On y lit ou relit avec bonheur des extraits de son premier recueil *Les Temps obscurs,* publié en 1953. On y retrouve l'essentiel des *Noces de la terre* (1957), de *La Lampe du corps* (1962), de *Stances du verbe amour* (1966), de *La Marche des arbres,* grand prix international de poésie en 1970, et d'une dizaine d'autres recueils publiés depuis – prix Apollinaire, Max Jacob, Saint-Simon... L'enfant de Plescop, qui fut le critique littéraire du quotidien *Ouest-France* pendant de nombreuses années, est également romancier, essayiste, diariste. Le Grand prix de la Société des gens de lettres lui a été décerné pour l'ensemble de son œuvre.

DU MÊME AUTEUR

Aux éditions First

- La Géographie française pour les Nuls *(2006)*
- La Littérature française illustrée pour les Nuls *(2006)*
- L'Histoire de France pour les Nuls – De 1789 à nos jours – *édition de poche (2006)*
- L'Histoire de France pour les Nuls – Des origines à 1789 – *édition de poche (2006)*
- Les Grandes Dates de l'histoire de France *(2006)*
- La Littérature française pour les Nuls *(2005)*
- L'Histoire de France illustrée pour les Nuls *(2005)*
- L'Histoire de France pour les Nuls *(2004)*
- Le Petit Livre de la grammaire facile *(2004)*
- Le français correct pour les Nuls – *édition de poche (2004)*
- 800 questions pour devenir champion – *Sciences (2003)*
- 800 questions pour devenir champion – *Lettres (2003)*
- Le Petit Livre de la conjugaison correcte *(2002)*
- Le français correct pour les Nuls *(2001)*
- Le Petit Livre des tests du français correct *(2001)*
- Mon enfant est au collège *(1999)*
- Mon enfant est à l'école primaire *(1999) (en collaboration avec Claudine Julaud)*
- Le Petit Livre du français correct *(1999)*

Chez d'autres éditeurs

- Café grec – roman, *Éditions du Cherche Midi (2003)*
- Ça ne va pas ? Manuel de poésiethérapie, *Éditions du Cherche Midi (2001)*
- Tu feras l'X – roman, *Liv'éditions (2001)*
- Mort d'un kiosquier – récits, *Éditions Critérion (1994)*
- Pour mieux dire « Peut mieux faire » Guide pratique à l'usage des enseignants. *Éditions François Chapel (1986)*
- La Nuit étoilée 1984 – Nouvelles. *Corps 9 éditions (1984)*
- Le Sang des choses – Contes et nouvelles, *Corps 9 éditions (1983)*